アランもようの
ウエアと
小もの

a

編み方
page 52

ダイヤ柄のセーター　デザイン 遠藤ひろみ　糸 シェットランド島の羊　デニム RED CLOVER　ベルト wafflish waffle

編み方
page 54

ロングカーディガン

デザイン 岡本啓子　製作 井戸本早百合　糸 シェットランド島の羊　デニム RED CLOVER　ネックレス SM2　ブーツ ダイアナ銀座本店

C

編み方
page 56

ダイヤ柄のVネックセーター　デザイン 今井昌子　製作 坂田愛子　糸 粉雪シロップ　カットソー、マフラー wafflish waffle　スカート Beuvron青山店

d

編み方
page 60

えりつきストール　　デザイン 林久仁子　糸 プライムメリノ並太　ブラウス、靴 Beuvron青山店　パンツ、靴下 SM2　ベルト wafflish waffle　くまのマスコット mimiwn

e

編み方
page 62

えりつきショートジャケット

デザイン 水原多佳子　製作 大村博美　糸 プロヴァンスのメリノ　インナー RED CLOVER　パンツ SM2　ネックレス wafflish waffle　靴 Beuvron青山店

f

編み方
page 64

ボートネックセーター　デザイン 河合真弓　製作 羽生明子　糸 プライムメリノ並太　スカート、レギンス SM2　靴 wafflish waffle

g

編み方
page 34

ダイヤ柄のベスト
デザイン 風工房　糸 プロヴァンスのメリノ　シャツ ロイス・クレヨン　スカート SM2　靴 Beuvron青山店

●詳しい編み方レッスン→page 34

h

編み方
page 66

ショートジャケット
デザイン 水原多佳子　糸 プロヴァンスのメリノ　ブラウス RED CLOVER　パンツ wafflish waffle　ストール SM2　靴 Beuvron青山店

i

編み方
page 68

i. キャスケット　デザイン 水原多佳子　糸 朝もやラ・セーヌ　パーカー SM2　人形 una-na

j. 前あきのベスト　デザイン 柴田 淳　糸 朝もやラ・セーヌ　デニム RED CLOVER　ベルト wafflish waffle

j

編み方
page 72

ストレートネックセーター　デザイン 木下光子　糸 プライムメリノ合太　パンツ、靴 wafflish waffle

k

編み方
page 74

編み方
page 70

よこ編みケーブルのセーター　デザイン 岡 まり子　糸 プライムメリノ並太
スカート RED CLOVER　ベルト wafflish waffle　人形 una-na

m

page 76

m. よこ編みのバッグ
デザイン 新居糸乃　糸 カフェウールフェルトの糸　パンツ、レギンス、ストール SM2

n. ロングマフラー
デザイン 前芽由美子　糸 粉雪シロップ　スカート（株）一珠

26

n

編み方
page 59

編み方
page 79

ラグラン半袖カーディガン
デザイン 風工房　糸 プライムメリノ合太　ワンピース Beuvron青山店

編み方
page 58

ネックウォーマー
デザイン 横山純子　糸 プライムメリノ合太　ワンピース Beuvron青山店　人形 una-na

q

編み方
page 80

シンプルカーディガン
デザイン 北川陽子　糸 プライムメリノ並太　ワンピース RED CLOVER　ストール SM2　人形 una-na

30

r

t

s

r. よこ編みの帽子
デザイン 前芽由美子　糸 カフェウールフェルトの糸　ブラウス SM2

s. なわ編みのバッグ
デザイン 岡 まり子　糸 ブランケット　ワンピース SM2

t. ハンドウォーマー
デザイン 前芽由美子　糸 朝もやラ・セーヌ　パンツ Beuvron青山店

u

編み方
page 73

V

編み方
page 81

u. なわ編みのマフラー　デザイン 木下光子　糸 プライムメリノ並太　ブラウス SM2　デニム RED CLOVER

v. ポンポンつきの帽子　デザイン 横山純子　糸 シェットランド島の羊

アランベストを編んでみよう

袖ぐりがきちんとついた本格派のアランベスト、
一枚は持っていたい。詳しく解説していますので、
じっくりと編んでみましょう。

●用意するもの

糸

プロヴァンスのメリノ
ブラウングレー（7）
220g＝6玉

針

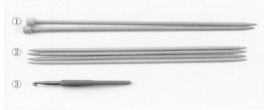

①12号・2本針
②10号・4本針
③かぎ針9／0号
10号針は裾や袖ぐりを編むとき、端を棒針
キャップで止めておくと安心です。

用具

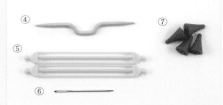

④なわ編み針
⑤両開きほつれ止め
⑥とじ針
⑦棒針キャップ
ほつれ止めは両開きタイプが便利です。

●ゲージ

10cm平方でメリヤス編み16.5目・22段
模様編み22目・22段

編み始める前にゲージを編みましょう。
15cm角ぐらいに編んで、10cmにあ
る編み目の目数と段数を数えます。
数が多かったら針の号数を大きく、
少なかったら号数を大きくして調整し
ます。

メリヤス編み

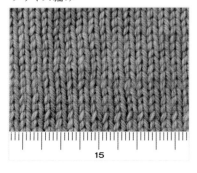

写真は½の大きさです

●でき上がりサイズ

胸囲86cm
背肩幅33cm
丈50.5cm

模様編み

● 指でかける作り目

1 糸端から編む幅の約3倍のところで輪を作る。

2 輪の中から糸を引き出す。

3 2本の針を通し、糸端を引いて輪を縮める。

4 1目めができたところ。短い糸を親指に、糸玉の糸を人さし指にかける。

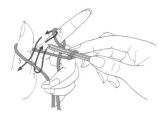

5 針先を1、2、3の矢印の順に動かして針に糸をかける。

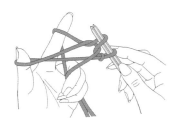

6 親指の糸を一旦はずし、

7 矢印のように親指を入れて、糸を引きしめる。

8 2目めのでき上がり。5〜7をくり返す。

9 16目作ったところ。最初の輪も1目と数える。

● ベストの作り目

作り目70目のでき上がり。作り目は1段に数える。

針を1本引き抜く。

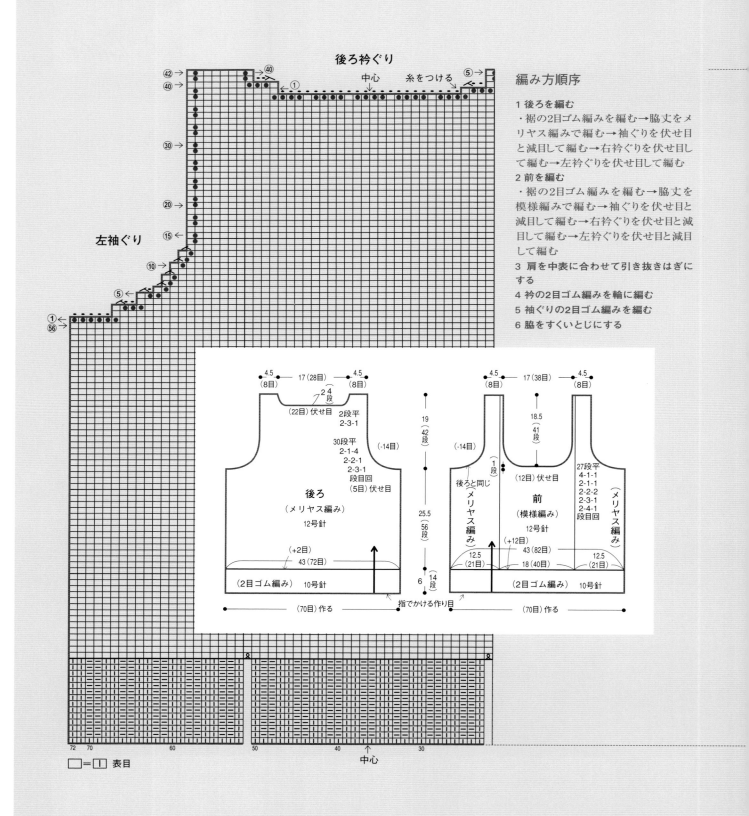

後ろ衿ぐり

中心　糸をつける

左袖ぐり

編み方順序

1 後ろを編む
・裾の2目ゴム編みを編む→脇丈をメリヤス編みで編む→袖ぐりを伏せ目と減目して編む→右衿ぐりを伏せ目して編む→左衿ぐりを伏せ目して編む

2 前を編む
・裾の2目ゴム編みを編む→脇丈を模様編みで編む→袖ぐりを伏せ目と減目して編む→右衿ぐりを伏せ目と減目して編む→左衿ぐりを伏せ目と減目して編む

3 肩を中表に合わせて引き抜きはぎにする

4 衿の2目ゴム編みを輪に編む

5 袖ぐりの2目ゴム編みを編む

6 脇をすくいとじにする

4.5
(8目)　17(28目)　4.5(8目)

2-4段
(22目)伏せ目　2段平
2-3-1

30段平
2-1-4
2-2-1
2-3-1
段目回
(5目)伏せ目

後ろ
（メリヤス編み）

12号針

(+2目)
43(72目)

(2目ゴム編み)　10号針

(70目)作る

19
(42段)

25.5
(56段)

6
14段

指でかける作り目

4.5
(8目)　17(38目)　4.5(8目)

2段平
2-3-1
(-14目)

18.5
41段

(1段)

後ろと同じ
（メリヤス編み）

(12目)伏せ目

前
（模様編み）

12号針

27段平
4-1-1
2-1-1
2-2-2
2-3-1
2-4-1
段目回

（メリヤス編み）

(+12目)
43(82目)

12.5
(21目)　18(40目)　12.5(21目)

(2目ゴム編み)　10号針

(70目)作る

□=[|] 表目

中心

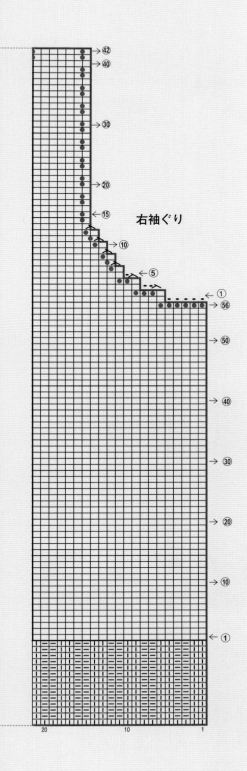

右袖ぐり

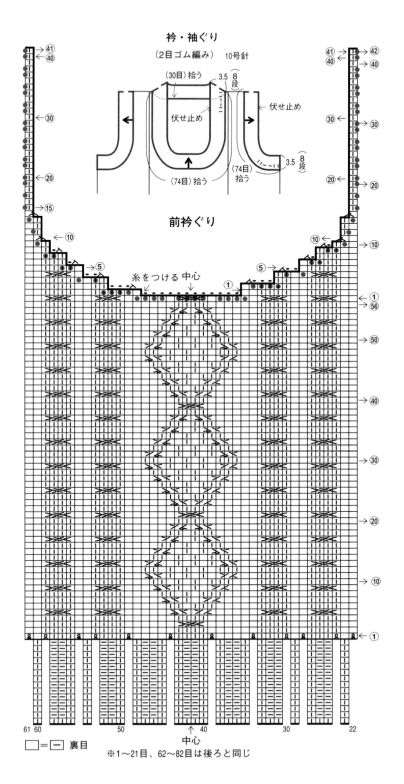

衿・袖ぐり

（2目ゴム編み）　10号針

前衿ぐり

糸をつける　中心

□=－　裏目

※1〜21目、62〜82目は後ろと同じ

中心

Let's knit !

●2目ゴム編み

2段め ➡

1 針を1本抜いて、表裏を持ち替える。

2 針を向こう側から入れて針に糸をかけ、

3 目を引き出す。裏目1目編めたところ。

4 2目めも裏目を編み、3目めは手前から針を入れて、

5 表目で編む。4目めも表目で編む。以降、裏目2目・表目2目をくり返す。

2段めが編めて持ち替えたところ（表側）。

3段め ➡

1 端の1目に手前から針を入れて糸をかけ、

2 糸を引き出す（表目）。表目2目・裏目2目をくり返す。

Let's knit !

14段編んだところ。

●脇丈を編みましょう

メリヤス編み1段めで指定位置にねじり増し目を編みます。

表目のねじり目

1 増し目位置の手前まで編む。

2 目と目の間の渡り糸を右針ですくい上げ、

3 左針に移す。

4 3の渡り糸の向こう側に手前から針を入れて糸をかけ、

5 ねじって表目を編む。

裏目のねじり目　1～3までは表目と同じ方法です。前のゴム編み切り替えで利用します。

4 糸を手前にしておき、目と目の間の渡りに向こう側から針を入れて糸をかけ、

5 ねじって裏目を編む。

6 指定位置で増し目をしたところ（前）。

脇丈が編めたところ。

伏せ目（右袖ぐり）

1　端から2目を表目で編む。

2　右の1目に左針を手前から入れて、

3　2目めにかぶせる。これで1目が減る。

4　次の1目を表目で編み、右の目に左針を入れて

5　かぶせる。2目減る。

6　以降、4、5をくり返し、5目を伏せ、左端まで編む。

伏せ目（左袖ぐり）

1　持ち替えて、端から2目を裏目で編む。

2　右の1目に左針を手前から入れて、

3　2目めにかぶせる。これで1目が減る。

4　次の1目を裏目で編み、右の目に左針を入れてかぶせる。2目減る。

5　以降、4、5をくり返し、5目を伏せる。

2回め以降の伏せ目（右袖ぐり）

1　端の目に手前から右針を入れて、編まずに移す。

2　次の1目を表目で編み、右の移した1目に左針を手前から入れて、

3　2目めにかぶせる。これで1目が減る。

4　次の1目を表目で編み、右の目に左針を入れてかぶせる。2目減る。

5　もう一度4をくり返し3目を伏せたところ。左端まで編む。

2回め以降の伏せ目（左袖ぐり）

1　持ち替えて、端の目に向こう側から右針を入れて、編まずに移す。

2　次の1目を裏目で編み、右の移した1目に左針を手前から入れて、

3　2目めにかぶせる。これで1目が減る。

4　次の1目を裏目で編み、右の目に左針を入れて

5　かぶせる。2目減る。

Let's knit !

1目の端減目（右袖ぐり）

6　もう一度4、5をくり返し3目を伏せたところ。左端まで編む。

1　端の目に手前から右針を入れて、編まずに移す。

2　次の1目を表目で編み、右の移した1目に左針を手前から入れて、

3　2目めにかぶせる。これで1目が減る。

1目の端減目（左袖ぐり）

1　減目する2目の手前まで編んだところ。

2　左針の2目に左側から右針を2目一緒に入れ、針に糸をかける。

3　糸を2目から引き出す。1目減る。

袖ぐりの伏せ目と端の減目が編めたところ

衿ぐり位置まで増減なく編んだところ

●衿ぐり

伏せ目（右衿ぐり）

1　右衿ぐり分11目を編み、

2　持ち替えて（針は今まで使用した針を使うので左衿ぐり分の目がかかったまま編む）、

3　端の目に向こう側から右針を入れて、編まずに移す。

4　次の1目を裏目で編み、右の目に左針を入れて

5　かぶせる。

6　以降、4、5くり返す

7　3目伏せる。

8　左端まで編む。

9　持ち替えてあと2段編む。

伏せ目（中央）

10　右肩の目はほつれ止めに移しておく。

1　左針の1目めに新しい糸をつけて引き出す。

2　次の1目を表目で編み、右の目に左針を入れて

3　かぶせる。

4　「1目編んでは右目をかぶせる」をくり返し、22目伏せる。

5　中央の伏せ目が編めたところ。左衿ぐり分が11目ある。

後ろのでき上がり
左肩の目もほつれ止めに移す。糸端は50cm残しておく。

伏せ目（左衿ぐり）

1　左衿ぐり分11目を2段編む。

2　持ち替えて、端の目に手前から右針を入れて、編まずに移す。

3　次の1目を表目で編み、右の移した1目に左針を手前から入れて、

4　2目めにかぶせる。これで1目が減る。

5　次の1目を表目で編み、右の目に左針を入れてかぶせる。もう一度くり返し、3目伏せる。

6　3段めを左端まで編み、4段めを編む。

糸の替え方

編んでいる途中で糸玉が終わってしまったら、糸を替えます。端で替えると目立ちませんが、糸の無駄がでます。終わりの糸はそのままにしておき、新しい糸をつけたら終わりの糸と軽く結んでおきます。

1　糸端を10cm程度残して、新しい糸をつける。

2　新しい糸で1目編み、

3　糸端同士をひと結びする。あとでほどいて糸始末をする。

・ 前 ・

前は模様編みの1段めで増し目をします。模様を入れて編みます。糸が太いので衿ぐりの位置は奇数段で終わりにします。先に右衿ぐりを編み、次に糸をつけて左衿ぐりを編みます。

●模様編み

交差模様の組み合わせでなわ編み柄とダイヤ柄ができ上がっています。交差はなわ編み針があると便利です。

模様編み

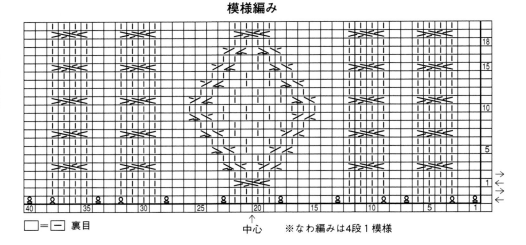

□=⊟ 裏目

↑中心　　※なわ編みは4段1模様

1　交差する右側2目をなわ編み針に移す。

2　なわ編み針を手前におき、

3　左側の2目を表目で編む。

4　なわ編み針の2目を左針に戻し、

5　表目で編む。

1　交差する右側1目をなわ編み針に移す。

2　なわ編み針を向こう側におき、

3　左側の2目を表目で編む。

4　なわ編み針の1目を左針に戻し、

5　表目で編む。

1　交差する右側2目をなわ編み針に移し、手前におく。

2　左側の1目を裏目で編む。

3　なわ編み針の2目を左針に戻す。

4　戻したところ。

5　2目を表目で編む。

42

ン厶

1 交差する右側1目をな
わ編み針に移す。

2 なわ編み針を向こう
側におき、

3 左側の2目を表目で
編む。

4 なわ編み針の1目を
左針に戻し、向こう側か
ら右針を入れて

5 裏目で編む。

1模様編めました。

脇丈が編めたところ。

袖ぐりと衿ぐりを同時に
減らして編む。

● **右衿ぐり**

1 右の端で左袖ぐりの5
目を伏せ目し、左端まで
編む。

伏せ目

2 持ち替えて中心の12
目までを編む。持ち替
えて端の1目に右針を向
こう側から入れて

3 右針に移し、次の1目
を裏目で編む。右の目に
左針を入れて

4 かぶせる。

5 「次の目を編んでは右
の目をかぶせる」をくり
返して3目伏せる。

6 3目伏せたところ。

2回め以降の伏せ目

1 端の目に手前から右
針を入れて、編まずに
移す。

1目の端減目

2 次の1目を表目で編
み、右の移した1目に左
針を手前から入れて、

右前衿ぐりのでき上がり

右側は衿ぐり、左側は袖
ぐりの減らし目をしなが
ら編む。肩の目はほつ
れ止めに移す。

3 かぶせる。これで1目
が減る。

4 指定の目数を伏せ目
する。

1 端の目を編まずに移
して次の1目を表目で編
み、右の移した1目に左
針を手前から入れて、

2 2目めにかぶせる。1
目が減る。

●左衿ぐり

中央の伏せ目

1　裏目側を見て左針の1目めに新しい糸をつけて引き出す。

2　次の1目を表目で編み、右の目に左針を入れて

3　かぶせる。

4　「1目編んでは右目をかぶせる」をくり返し、12目伏せる。続けて2段編む。

伏せ目

1　端の1目に右針を手前から入れて右針に移し、

2　次の1目を表目で編む。右の目に左針を入れて

3　かぶせる。

4　次の目は裏目で編み、右の目に左針を手前から入れて

5　かぶせる。

6　くり返して3目伏せる。

7　1目は端の減目をする。左衿ぐりが編めたところ。

前のでき上がり

左肩の目をほつれ止めに移す。

●肩はぎ

1　前後の肩の目を棒針に移し、中表に持つ。

2　1目めにかぎ針を入れ、針からはずす。

3　針に糸をかけて2目一緒に引き抜く。

4　次の2目も一緒にかぎ針を入れて、

5　引き抜く。

6　4、5をくり返す。

肩はぎのでき上がり

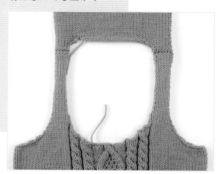

・ 衿 ・

左肩に糸をつけて拾い目を始めます。左前衿ぐり、右前衿ぐり、後ろ衿ぐりと3本に針を分けて拾い目をします。

●拾い目（前衿ぐり）

1 左肩の赤丸の部分に針を入れて、針に糸をかけ、

2 引き出す。

3 次も同じように針を入れて糸を引き出す。

7 左前で37目拾う。

8 右前で37目拾う。

4 1目とばして糸を引き出す。

5 減目位置は重なっている2目の下の目に針を入れて

6 拾う。以降、指定の位置から拾い目をする。

Let's knit !

●拾い目（後ろ衿ぐり）

1 右肩の赤丸の部分に針を入れて、針に糸をかけ、

3 後ろから30目拾う。

●2目ゴム編み（輪）

1 左前の1目めに手前から針を入れて、1目めを表目で編む。

2 次も表目で編む。

4 針を3カ所で替えながら2目ゴム編みを8段編む。

2 引き出す。以降、指定の位置から拾い目をする

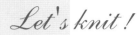

3 次の2目は裏目で編む。以降、表目2目、裏目2目をくり返す。

●伏せ止め

1 表目を2目編み、

2 右の目に左針を入れて

3 左の目にかぶせる。

4 裏目の位置は裏目を編み、

5 右の目に左針を入れてかぶせる。以降、表目は表目、裏目は裏目を編んではかぶせる。

●編み終わりの始末

1 全目伏せ終わったら、15cm程度残して糸を切り、目から引き抜く。

2 糸端をとじ針に通し、始めから2目めの止めた鎖目に針を入れる。

3 糸を引いて終わりの鎖目の中心に戻す。

4 他の鎖目と大きさを揃えて糸を引く。

5 糸端は裏側で編み目にくぐらせて始末する。

● 袖ぐり ● 袖ぐりも2目ゴム編みを編みますが、平編みで編みます。

●拾い目

4 以降、指定の位置から拾い目をする。前後から37目ずつ拾う。

1 袖ぐりの始めの赤丸の部分に針を入れて、針に糸をかけ、

2 引き出す。

3 次も同じように針を入れて糸を引き出す。

●伏せ止め（平編み）

2目ゴム編みを8段編んだところ。

1 表目を2目編み、

2 右の目に左針を入れて

3 左の目にかぶせる。以降、表目は表目、裏目は裏目を編んではかぶせる。

4 袖ぐりの伏せ止めのでき上がり。

●すくいとじ

脇はすくいとじで合わせます。とじ糸は分かりやすいように別糸を使用しています。

1 左側の作り目位置1目内側をすくって糸を引く。

2 右側作り目の1目内側をすくって糸を引く。

3 左側の1段上、1目内側をすくう。

4 右側の1段上、1目内側をすくう。

5 以降、左右交互に1目内側をすくって糸を引く。

6 メリヤス編みのすくいとじも1目内側をすくう。

ベストのでき上がり

Well done !

46

基礎技法のページ

●別鎖の裏山を拾う作り目

1 かぎ針を向こう側にあて
がい、6を描くように回す。

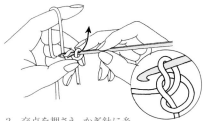

2 交点を押さえ、かぎ針に糸
をかけてループから引き出す。

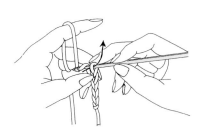

3 2をくり返す。必要な目数
を作る。

a

b

c

4 a. 鎖編みを裏側から見たところ。
b. 表側から見たところ。
c. 裏の山に棒針を入れる。

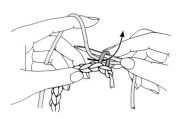

5 編む糸を針にかけて引き
出す。

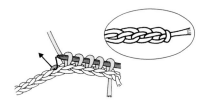

6 鎖編みの裏山から1目ず
つ糸を引き出す。

7 必要な目数をくり返す。

●共鎖の裏山を拾う作り目

1 かぎ針を抜いて、最後
のループに棒針を入れる。

裏山

2 1目飛ばして2目めから
裏山に1目ずつ編み出す。

●別鎖をほどいて拾い目

1 編み終わり側のループ
の糸端を引き、

2 糸をはずしてほどき始
める。

3 編み地の目は棒針に移
していく。

4 編み目の向きを変えな
いように拾う。

● かぎ針を使った引き抜き止め

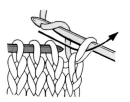 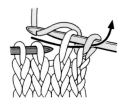 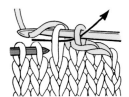 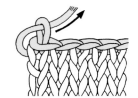

1　端の目に手前からかぎ針を入れて糸をかけて引き抜く。

2　2目めにかぎ針を入れて糸をかけ、2ループを引き抜く。

3　次から2をくり返す。

4　最後は糸を切って目に通す。

● 1目ゴム編み止め

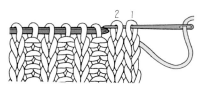 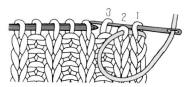 

1　1、2の目に手前、向こう側から針を入れて糸を引く。

2　1、3の目に手前、手前と針を入れて糸を引く。

3　2、4の目に手前、向こう側と針を入れて糸を引く。

4　3、5の目に向こう側、手前と針を入れて糸を引く。3、4をくり返す。

5　最後は3'、1'の目に手前、向こう側から針を入れて糸を引く。

6　2、1'の目に向こう側、向こう側から針を入れて糸を引く。

右端が表1目のとき

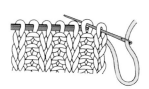

1　端の2目に手前から針を入れて糸を引く。

2　1、3の目に手前、向こう側から針を入れて糸を引く。以降、上記の4と同じ。

左端が表2目のとき

1　3'、1'の目に向こう側、向こう側から針を入れて糸を引く。

2　2'、1'の目に手前、向こう側から針を入れて糸を引く。

● 目と段のはぎ

表目のとき

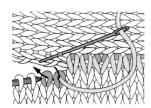 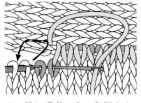

1　段の横糸を1本すくって糸を引き、

2　目に手前、向こう側から針を入れて糸を引く。段の横糸を2本すくって糸を引く。

裏目のとき

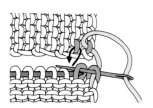 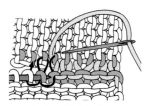

1　目に向こう側、手前から針を入れて糸を引く。段の横糸を1本すくって糸を引く。

2　目、段の横糸を交互にすくって糸を引く。

│ 編み目記号 │

Ｉ 表目

1　手前から針を入れて
糸をかけ、

2　糸を引き出す。

一 裏目

1　向こう側から針を入れ
て糸をかけ、

2　糸を引き出す。

人 左上2目一度（表目）

1　左手前から2目一緒に
針を入れて糸をかけ、

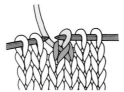

2　糸を引き出す。

左上2目一度（裏目）

1　右向こう側から2目一
緒に針を入れて糸をかけ、

2　糸を引き出す。

入 右上2目一度（表目）

編まずに
右針に移す

1　1目めに手前から針を
入れて編まずに移す。

2　次の目を表目で編み、

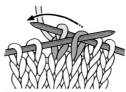

3　左針を1目めに向こう
側から入れて

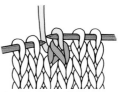

4　2目めにかぶせる。

〇 かけ目

1　手前から向こう側へ針
に糸をかけ、

2　次の目を編む。

左上3目一度

1　左手前から3目一緒に
針を入れて糸をかけ、

2　糸を引き出す。

右上2目一度（表目）

編まずに1目
右針に移す

1　1目めに手前から針を
入れて編まずに移す。

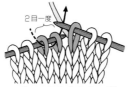

2目一度

2　次の2目を左から一緒
に針を入れて表目で編み、

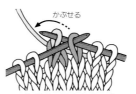

かぶせる

3　左針を1目めに向こう
側から入れて

4　2目めにかぶせる。

中上3目一度

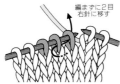

編まずに2目
右針に移す

1　1、2目めに手前から
針を入れて編まずに移す。

2　次の1目を表目で編み、

3　左針を1、2目めに向
こう側から入れて

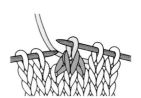

4　2の目にかぶせる。

 端2目立てる減目（左上・表目）

1 端から2、3目めに左手前から一緒に針を入れて糸をかけ、糸を引き出す。

2 端の目を編む。

 端2目立てる減目（右上・表目）

1 端1目を編み、2目めに手前から針を入れて編まずに移す。3目めを表目で編み、

2 左針を2目めに向こう側から入れて3目めにかぶせる。

 端2目立てる減目（左上・裏目）

1 端から2、3目めに右向こう側から一緒に針を入れて

2 糸をかけ、糸を引き出す。端の目を編む。

 端2目立てる減目（右上・裏目）

1 端1目を編み、2、3目の向きを替えて向こう側から一緒に針を入れて、

2 糸を引き出す。

 右上1目交差

1 交差する2目めに1目めの後ろから針を入れる。

2 右針に糸をかけて引き出す。

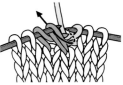

3 1目めに手前から針を入れ、

4 表目を編む。でき上がり。

 右上1目交差（下の目が裏目）

1 糸を手前にして、交差する2目めに1目めの後ろ、向こう側から針を入れる。

2 裏目を引き出し、右針に糸をかけて裏目を編む。

3 1目めに手前から針を入れ、

4 表目を編む。でき上がり。

 左上1目交差（下の目が裏目）

1 交差する2目めに手前から針を入れる。

2 糸をかけて表目を編む。

3 左針にかけたまま1目めに向こう側から針を入れ、

4 裏目を編む。でき上がり。

 左上1目交差（上の目がねじり目）

1 交差する2目めに矢印のように針を入れる。

2 糸をかけて表目を編む。3、4は左上1目交差（下の目が裏目）と同じ。

 右上1目交差（上の目がねじり目）

3 1、2は右上1目交差（下の目が裏目）と同じ。1目めに向こう側から針を入れ、

4 表目を編む。でき上がり。

ねじり目

1　向こう側から矢印のように針を入れ、

2　針に糸をかけて引き出し、

3　表目を編む。

引き上げ目

1　糸を手前において向こう側から針を入れ、

2　編まずに移し、糸をその目にのせる。次の目は表目で編む。

すべり目

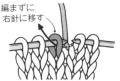

編まずに右針に移す

1　向こう側から針を入れ、

2　編まずに右針に移し、次の目を表目で編む。

3　でき上がり。

3　次の段は2でのせた糸も一緒に編む。

左目に通すノット

1　3目めに向こう側から針を入れ、右の2目にかぶせる。

2　右の目を表目で編む。

かけ目

3　かけ目をし、

4　2目めを表目で編む。

左上の2目とび交差

1　1、2の目、3の目をなわ編み針に移し、向こう側におく。

2　4、5の目を表目で編む。

3　3の目を裏目で編む。

4　1、2の目を表目で編む。

細編み2目一度

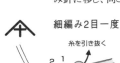

糸を引き抜く

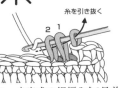

1　未完成の細編みを1目ずつ編み、かぎ針に糸をかける。

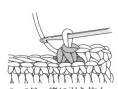

2　2目一緒に引き抜く。

細編み2目を編み入れる

同じ目にかぎ針を入れる

糸を引き抜く

1　1目細編みを編み、

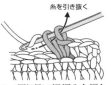

2　同じ目に細編みを編む。

3　でき上がり。

バック細編み

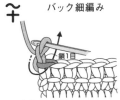

鎖1目

1　手前から向こう側にかぎ針を入れ、

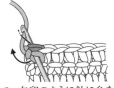

2　矢印のように針に糸をかけて

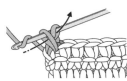

3　目を引き出し、針に糸をかけて

4　2ループを引き抜く。

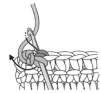

5　1〜4をくり返す。

a

ダイヤ柄のセーター

page **04**

用意するもの

糸…ダルマ手編糸　シェットランド島の羊　ベージュ(2)540g＝14玉。

針…棒針10号。

でき上がりサイズ…胸囲90cm、背肩幅39cm、丈57cm、袖丈51.5cm。

ゲージ…10cm平方でガーター編み14.5目×26段、模様編みA・Bとも18.5目×26段。

編み方ポイント　身頃…指でかける作り目で編み始め、模様編みAの1段めでかけ目、2段めでかけ目をねじって編んで増し目をします。袖ぐりの4目は伏せ目、衿下がり最終段のダイヤ柄の交差した目は裏目で編み、衿ぐりは中央の目を休み目にして、2目以上は伏せ目、1目は端1目を立てる減目で編みます。**袖**…肩を引き抜きはぎで合わせて袖ぐりから拾い目し、とじ代を巻き増し目します。袖下は端1目を立てる減目で編みます。**まとめ**…衿は衿ぐりから拾い目して輪に編みます。脇、袖下はガーター編みのすくいとじ、袖つけ止まりは目と段のはぎです。

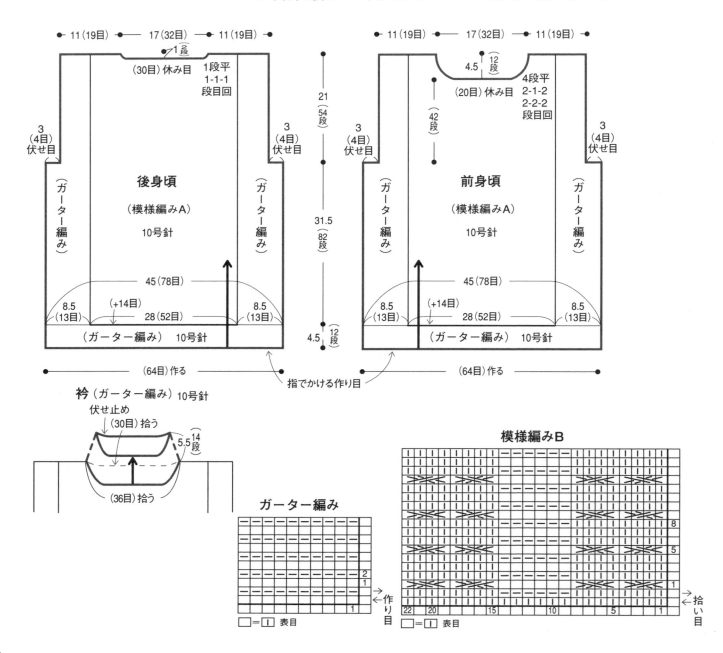

52

模様編みA

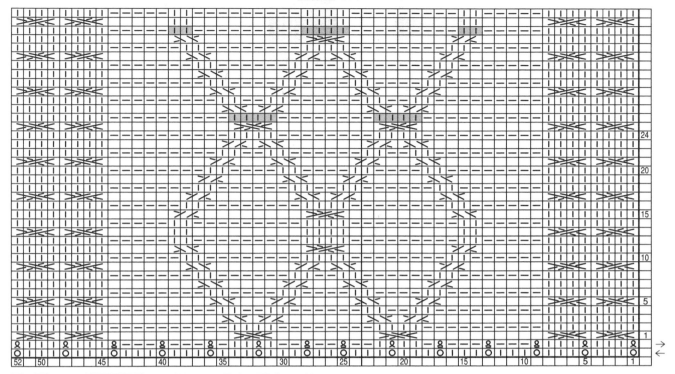

□=□ 表目　　▨▨▨▨▨=前後衿ぐりの最後は□裏目で編む

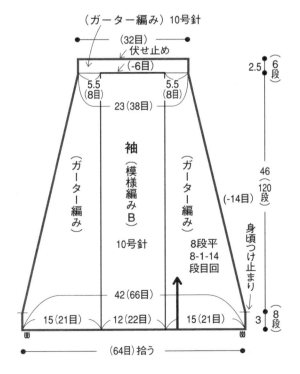

（ガーター編み）10号針

（32目）
伏せ止め
（-6目）
5.5（8目）　　5.5（8目）
23（38目）

2.5（6段）

袖
（模様編み
B）
10号針

（ガーター編み）　　（ガーター編み）

8段平
8-1-14
段目回

46（120段）
（-14目）

身頃つけ止まり

42（66目）

15（21目）　12（22目）　15（21目）

3（8段）

（64目）拾う

Ｖ 81ページの続き

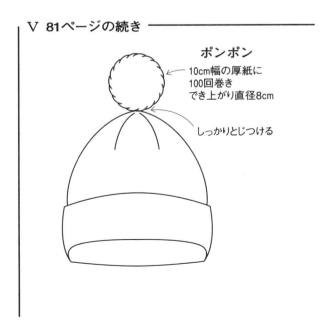

ポンポン

10cm幅の厚紙に
100回巻き
でき上がり直径8cm

しっかりとじつける

b

ロングカーディガン

page 06

用意するもの

糸…ダルマ手編糸　シェットランド島の羊　ブラウン(4)690ｇ＝18玉。

針…棒針7、8、9、10号。

その他…直径2.5cmのボタンを5個。

でき上がりサイズ…胸囲101.5cm、背肩幅35cm、丈69cm、袖丈51.5cm。

ゲージ…10cm平方でメリヤス編み17.5目×26段、模様編み24目×26段。

編み方ポイント

身頃・袖…別鎖の裏山を拾う作り目で編み始め、1目の増減目は端1目を立てる減目と端1目内側でねじり増し目で増します。袖ぐり、衿ぐり、袖山は伏せ目と端1目を立てる減目で減らします。裾・袖口…別鎖をといて拾い目し、1段めで平均に減目をして編み、1目ゴム編み止めにします。前立て…拾い目をして、右前立てにボタンホールを作って1目ゴム編みを編みます。衿…肩を引き抜きはぎにし、身頃の表側を見て拾い目し、衿の表裏に注意して棒針の号数で調整しながら編みます。まとめ…脇、袖下はすくいとじ、袖は引き抜きとじで身頃につけます。

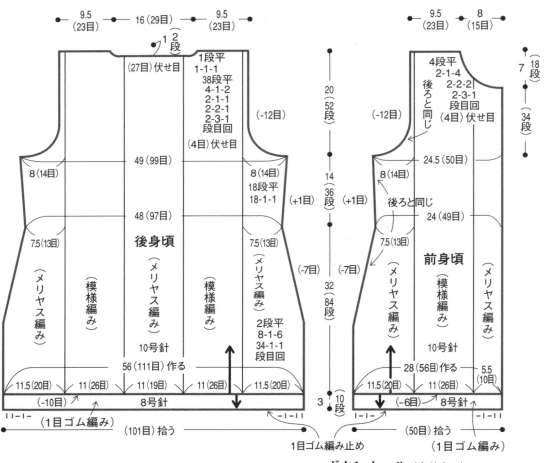

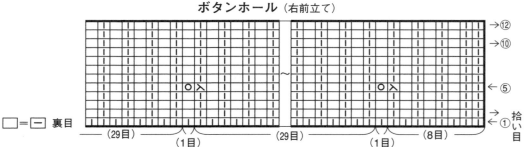

ボタンホール（右前立て）

□＝|－| 裏目

●左上1目交差 ⊃⊂

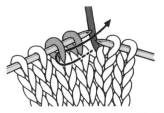

1 交差する2目めに手前から右針を入れる。

2 糸をかけて表目を編む。

3 左針にかけたまま1目めに手前から右針を入れ、

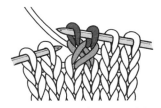

4 表目を編み、左針をはずす。でき上がり。

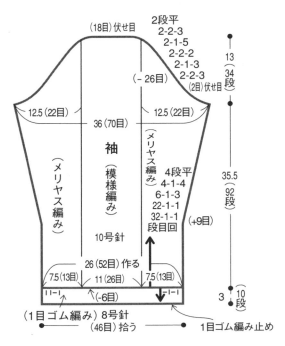

（18目）伏せ目
2段平
2-2-3
2-1-5
2-2-2
2-1-3
2-2-3
（2目）伏せ目
（- 26目）

13（34段）

（12.5（22目）　　12.5（22目）

36（70目）

袖
（模様編み）

（メリヤス編み）　（メリヤス編み）

4段平
4-1-4
6-1-3
22-1-1
32-1-1
段目回

35.5（92段）

10号針

（+9目）

26（52目）作る

7.5（13目）　11（26目）　7.5（13目）

｜｜-｜　（-6目）　｜-｜｜

（1目ゴム編み）8号針
（46目）拾う

3（10段）

1目ゴム編み止め

前立て・衿

1目ゴム編み止め　（1目ゴム編み）　ゲージ調整

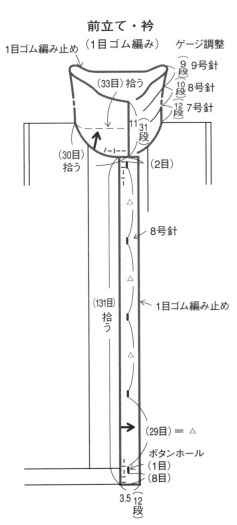

（33目）拾う

9号針（9段）
8号針（10段）
7号針（12段）

11（31段）

（30目）拾う

（2目）

8号針

（131目）拾う

1目ゴム編み止め

△

（29目）= △

ボタンホール
（1目）
（8目）

3.5（12段）

模様編み

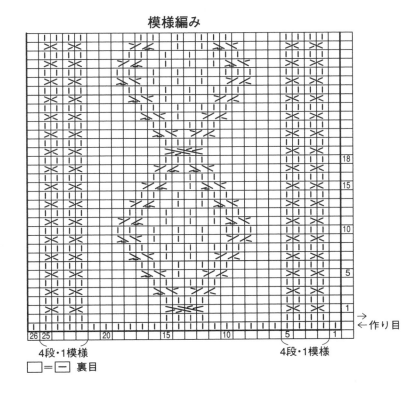

18
15
10
5
1

→作り目

26 25　　20　　15　　10　　5　1

4段・1模様　　　　　　　　4段・1模様

□=－ 裏目

ダイヤ柄のＶネックセーター

page 08

用意するもの

糸…ダルマ手編糸　粉雪シロップ　ウォームブラウン(7)410ｇ＝11玉。

針…棒針10、12号、かぎ針7/0号。

でき上がりサイズ…胸囲88cm、背肩幅34cm、丈50.5cm、袖丈55.5cm。

ゲージ…10cm平方で裏メリヤス編み・模様編みとも16.5目×22段、なわ編み20目×22段。

編み方ポイント

身頃…指でかける作り目で編みます。

袖ぐりは伏せ目と端減目、前衿ぐりは中心から左右に分けて、端1目を立てる減目で編みます。袖…身頃と同様に編み始め、ゴム編み切り替え位置で減目をします。袖下は端1目内側でねじり増し目、袖山は伏せ目の減目です。まとめ…肩を引き抜きはぎにします。衿は衿ぐりから拾い目してガーター編みを編み、7/0号のかぎ針で引き抜きます。脇、袖下はすくいとじ、袖は引き抜きとじで身頃につけます。

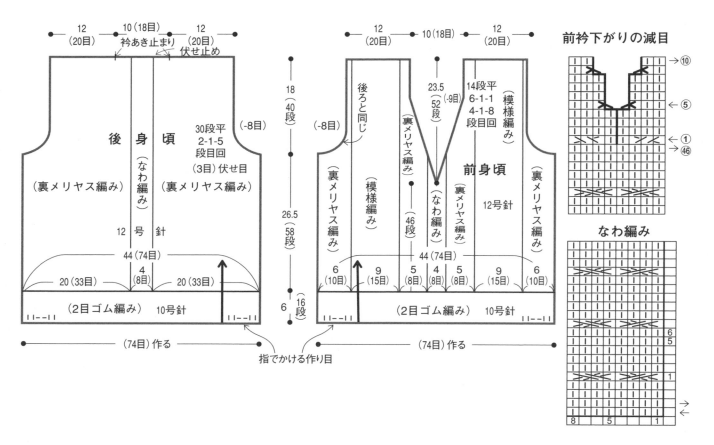

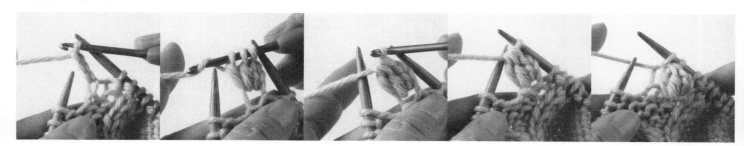

●玉編みの編み方

1　玉編みを編み入れる目に鎖3目を編む。

2　その目に未完成長編みを2目編む。

3　3目を一度に引き抜く。

4　右針に戻す。

5　次の目を裏目で編む。

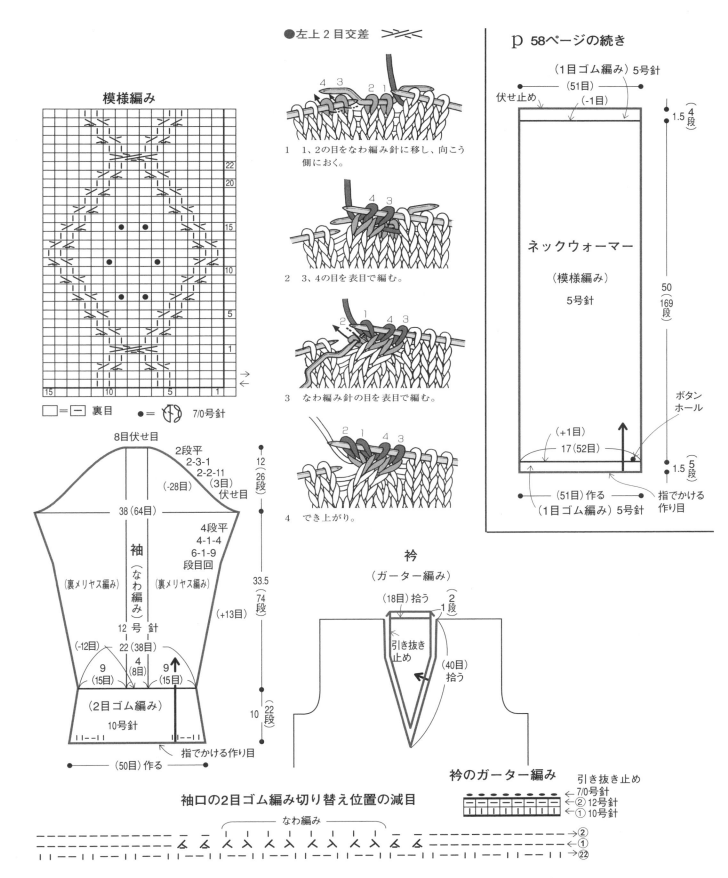

模様編み

22
20
15
10
5
1

15　10　5　1

□ = □ 裏目　● = 7/0号針

● 左上2目交差　>>><<<

4 3　2 1

1　1、2の目をなわ編み針に移し、向こう側におく。

4 3

2　3、4の目を表目で編む。

2 1　4 3

3　なわ編み針の目を表目で編む。

2 1　4 3

4　でき上がり。

p 58ページの続き

（1目ゴム編み）5号針
（51目）
伏せ止め　（-1目）

1.5（4段）

ネックウォーマー

（模様編み）

5号針

50（169段）

ボタンホール

（+1目）
17（52目）

1.5（5段）

（51目）作る
（1目ゴム編み）5号針

指でかける作り目

袖

8目伏せ目

2段平
2-3-1
2-2-11
（3目）
（-28目）　伏せ目

12（26段）

38（64目）

4段平
4-1-4
6-1-9
段目回

（裏メリヤス編み）

袖
（なわ編み）
12号針

（裏メリヤス編み）

33.5（74段）

（+13目）

（-12目）　22（38目）

9（15目）　4（8目）　9（15目）

（2目ゴム編み）
10号針

10（22段）

指でかける作り目

（50目）作る

衿

（ガーター編み）

（18目）拾う　（2段）
1段

引き抜き止め

（40目）拾う

衿のガーター編み

引き抜き止め
7/0号針
② 12号針
① 10号針

袖口の2目ゴム編み切り替え位置の減目

なわ編み

→②
←①
→22

ネックウォーマー

page **29**

用意するもの
糸…ダルマ手編糸　プライムメリノ合太　黒(12)40 g ＝2玉。
針…棒針5号。
その他…直径1.8cmのボタンを1個。
でき上がりサイズ…幅17cm、長さ53cm。
ゲージ…10cm平方で模様編み30.5目×34段。
編み方ポイント…指でかける作り目をして、1目ゴム編みを5段編みます。模様編みに替えるとき、模様編みの1段めは裏から始めます。目と目の間の渡り糸をねじって1目を増します。記号図の交差編みの下になる目に短い横線がついていたら、下の目は裏目に編みます。記号図をよく見て注意しましょう。模様編みの2段めで右端にボタンホールを作ります。増減なく169段まで編みます。続けて1目ゴム編みを編みますが、1段めで1目減目をして目数を調整します。1目ゴム編みは4段編み、表目は表目、裏目は裏目に編んで伏せ止めます。ボタンをつけて仕上げます。

模様編み

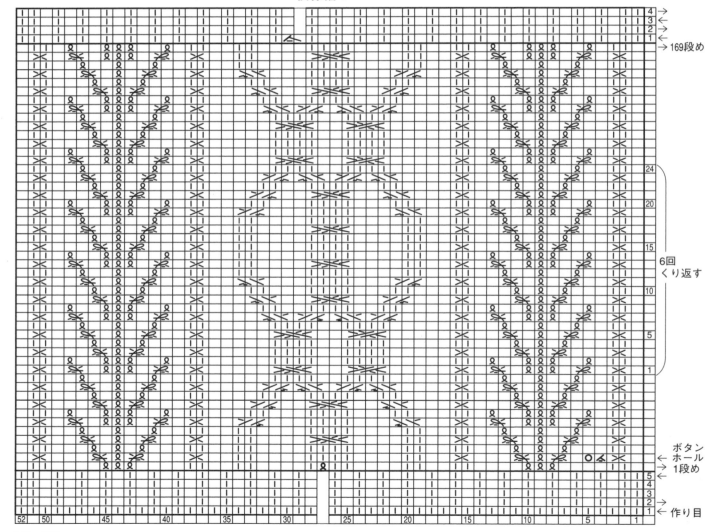

□＝ － 裏目

●続きは57ページに掲載してあります

ロングマフラー

page 27

用意するもの
糸…ダルマ手編糸　粉雪シロップ　シルバーグレー(5)170ｇ＝5玉。
針…棒針12号。
でき上がりサイズ…幅14cm、長さ184.5cm(フリンジ含む)。
ゲージ…10cm平方で模様編み23目×22.5段。
編み方ポイント…指でかける作り目をして編み始めます。模様編みの2目と1目の交差編みの下になる目に短い横線がついているので、下になる目は裏目

に編みます。増減なく348段編みますが、端線がゆるまないように気をつけます。最終段はフリンジのつけ位置の図を参照し、8か所で減目をしながら、表目は表目、裏目は裏目に編んで伏せ止めます。フリンジは38cmの長さの糸を4本そろえて二つ折りにし、マフラーの上下につけます。フリンジのつけ位置は、編み終わり側は減目した目につけますが、編み始め側は2目交差の表目の下に隣の裏目を重ねて、2目を一緒にしてフリンジをつけます。

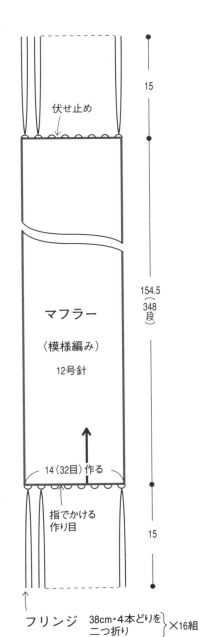

伏せ止め

15

マフラー
（模様編み）
12号針

154.5
（348段）

14（32目）作る

指でかける
作り目

15

フリンジ　38cm・4本どりを
二つ折り　}×16組

フリンジのつけ位置

▽＝フリンジをつける

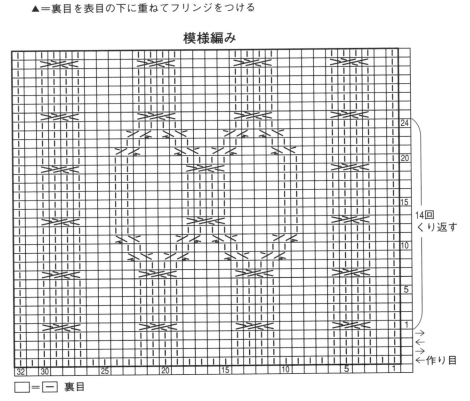

▲＝裏目を表目の下に重ねてフリンジをつける

模様編み

□＝ー　裏目

24
20
15
14回
くり返す
10
5
1
←作り目
32　30　　25　　20　　15　　10　　5　　1

えりつきストール

page **10**

用意するもの

糸…ダルマ手編糸　プライムメリノ並太　ライトブラウン(3)280ｇ＝7玉。

針…棒針6、7号、かぎ針7/0号。

でき上がりサイズ…幅43cm、長さ117cm。

ゲージ…模様編みＡ・Ａ'は5目が2.5cm×24段、10cm平方で模様編みＢ24目×24段。

編み方ポイント

ストール…指でかける作り目をして編み始めます。模様編みＢの記号図の中にある横の数字は目数の表示です。模様編みＢを50目まで編んだら、6目めに戻って模様をくり返します。衿つけ位置に糸印をつけて増減なく編み、最終段を伏せ止めにします。衿…ストールの裏側を手前にし、衿つけ位置から拾い目をして衿を編みます。衿は折り返すのでストールと表裏が逆になるので注意しましょう。衿は2目ゴム編みを棒針を替えながら22段編み、続けてガーター編みを3段編みます。最終段は裏側から引き抜き止めにします。

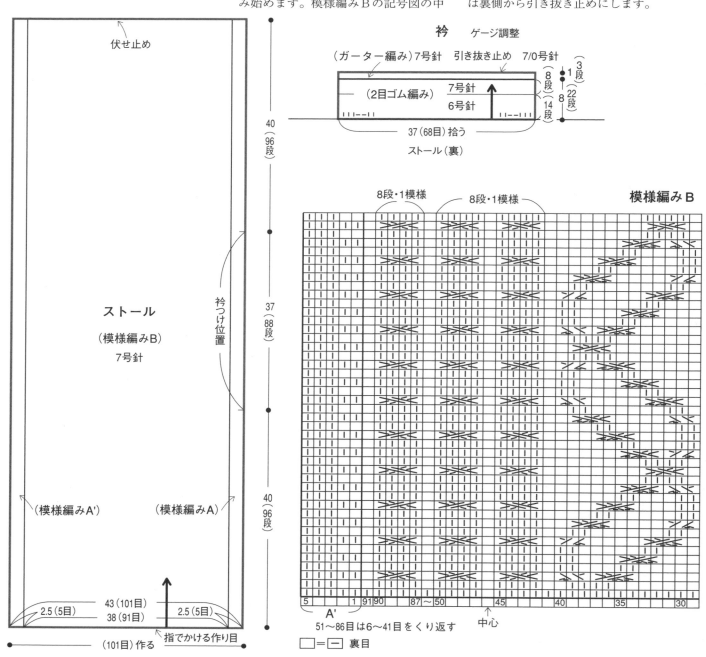

ハンドウォーマー

page **31**

用意するもの

糸…ダルマ手編糸　朝もやラ・セーヌ
サンドベージュ(2)70 g＝2玉。

針…棒針11号。

でき上がりサイズ…手首回り20cm、
長さ27cm。

ゲージ…10cm平方でメリヤス編み15
目×19段、模様編み20目×19段。

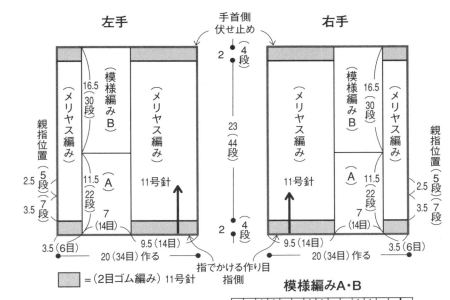

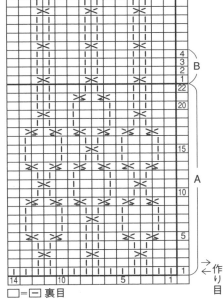

模様編みA・B

□＝□ 裏目

編み方ポイント…指でかける作り目を
し、指先側から図を参照して編みます。
編み終わりは表目は表目、裏目は裏目
に編んで伏せ止めます。両脇を合わせ
て親指位置をあけてすくいとじにしま
す。左右対称に編みます。

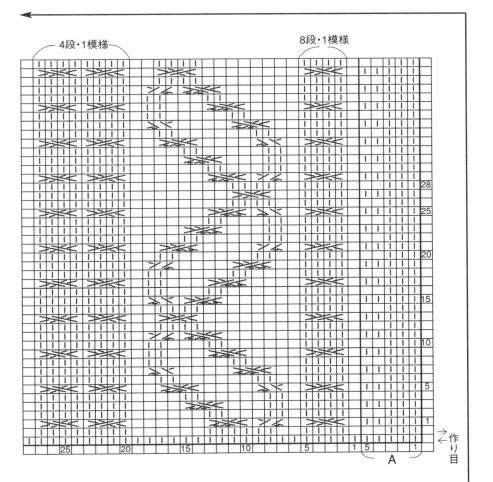

えりつきショートジャケット

page 12

用意するもの

糸…ダルマ手編糸　プロヴァンスのメリノ　ダークブルー(5)410ｇ＝11玉。

針…棒針10、11、12号、かぎ針8/0号。

その他…直径3.5cmのボタンを3個。

でき上がりサイズ…胸囲92cm、背肩幅36cm、丈44cm、袖丈42cm。

ゲージ…10cm平方でメリヤス編み・模様編みBとも15目×21.5段、模様編みA22目×21.5段、模様編みC18目×26段。

編み方ポイント…右前のボタンホールは31段めでボタンホール分4目を伏せ目にし、32段めで4目を巻き増し目にします。肩を引き抜きはぎ、脇、袖下をすくいとじにして細編みの縁を編みます。衿は身頃の裏側を見て衿ぐりから拾い目し、棒針の号数を替えながら編みます。編み終わりは表目は表目、裏目は裏目に編んで伏せ止めにします。袖は引き抜きとじで身頃につけます。

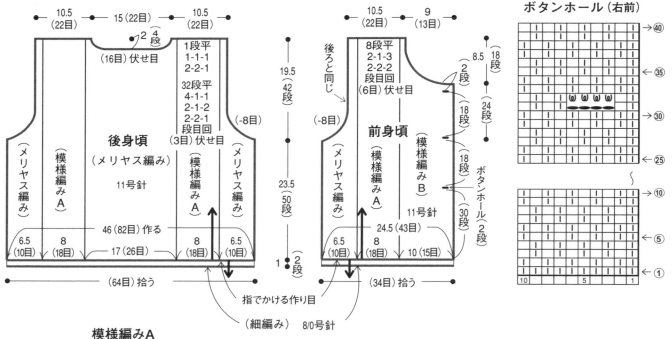

ボタンホール（右前）

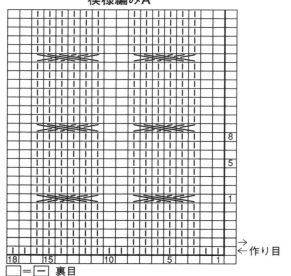

模様編みA

□＝─ 裏目

●ボタンホールの編み方

1　端から4目編み、右から3目めに左針を入れる。

2　左の目にかぶせる。

3　1目編んではかぶせるをくり返し、4目伏せる。

4　次の段で巻き増し目をする。右針に糸を巻きつける。

5　4目作る。

6　端の2目を編む。

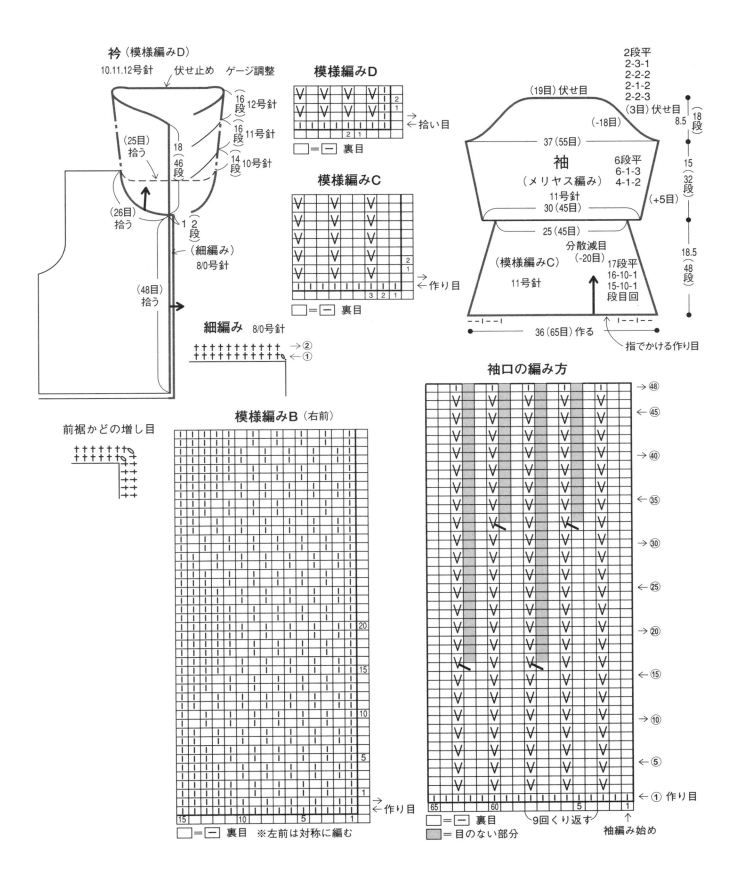

衿（模様編みD）

10.11.12号針　伏せ止め　ゲージ調整

（16段）12号針
（16段）11号針
（14段）10号針

（25目）拾う
18
46段

（26目）拾う
1　2段
（細編み）
8/0号針

（48目）拾う

模様編みD

→拾い目

□=─　裏目

模様編みC

→作り目

□=─　裏目

細編み　8/0号針

→②
←①

前裾かどの増し目

模様編みB（右前）

20
15
10
5
1
15　　10　　5　　1
→作り目

□=─　裏目　※左前は対称に編む

2段平
2-3-1
2-2-2
2-1-2
2-2-3
（3目）伏せ目

（19目）伏せ目
（-18目）
37（55目）

袖
（メリヤス編み）
11号針
30（45目）

6段平
6-1-3
4-1-2

（+5目）

25（45目）
分散減目
（-20目）

（模様編みC）
11号針

17段平
16-10-1
15-10-1
段目回

36（65目）作る

指でかける作り目

8.5（18段）
15（32段）
18.5（48段）

袖口の編み方

→48
←45
→40
←35
→30
←25
→20
←15
→10
←5
←①作り目

65　　60　　5　　1

9回くり返す

袖編み始め

□=─　裏目
▨=目のない部分

f

ボートネックセーター

page **14**

用意するもの
糸…ダルマ手編糸　プライムメリノ並太　ベージュ(2)450ｇ＝12玉。
針…棒針7、8号、かぎ針6/0号。
でき上がりサイズ…胸囲92cm、丈56cm、ゆき丈72cm。
ゲージ…10cm平方で裏メリヤス編み21目×27段、模様編み29目×27段。
編み方ポイント
身頃…前後とも同じ型に編みます。指でかける作り目をしてガーター編みか

ら編み始めます。裏メリヤス編みと模様編みで、袖つけ止まりに糸印をつけて増減なく肩先まで編みます。袖…身頃と同様に編み始め、袖下は端1目内側でねじり増し目で増し、最終段の目は伏せ止めます。衿…身頃を中表に合わせて、肩を引き抜きはぎにします。衿は身頃の衿あきに続けてガーター編みを輪に編み、細編みで目を止めます。まとめ…脇、袖下はすくいとじ、袖は引き抜きとじで身頃につけます。

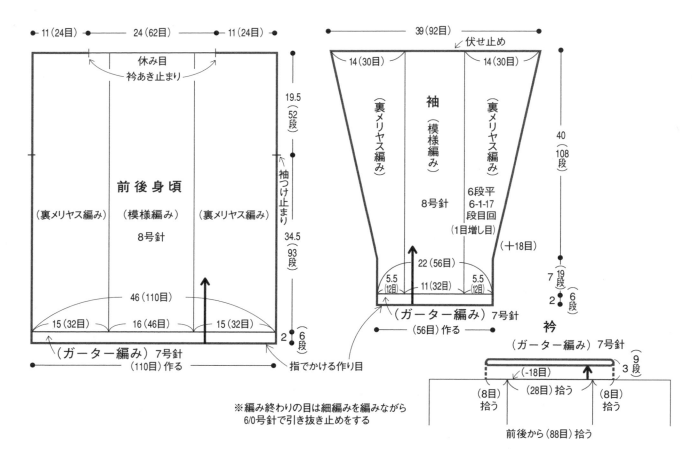

※編み終わりの目は細編みを編みながら
6/0号針で引き抜き止めをする

●衿のガーター編みの止め方

1　止め始めの1目めにかぎ針を入れ、針に糸をかけて
2　糸を引き出す。
3　次の目に細編みを編む。
4　次の目も同じように細編みを編む。
5　以降、細編みを編みながら止める。

64

模様編み

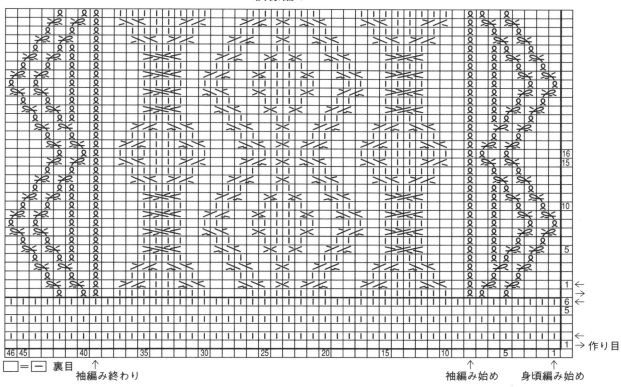

□ = □ 裏目

↑袖編み終わり　　　　　　　　　↑袖編み始め　　↑身頃編み始め　　←作り目

S 78ページの続き

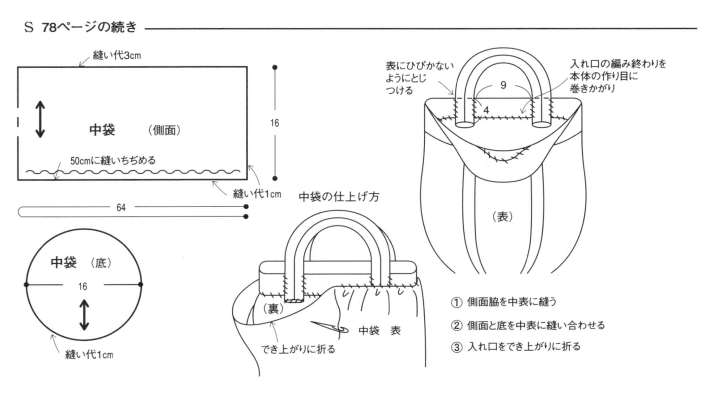

縫い代3cm

中袋　（側面）

50cmに縫いちぢめる

縫い代1cm

16

64

中袋　（底）

16

縫い代1cm

中袋の仕上げ方

（裏）

中袋　表

でき上がりに折る

表にひびかない
ようにとじ
つける

入れ口の編み終わりを
本体の作り目に
巻きかがり

9

4

（表）

① 側面脇を中表に縫う

② 側面と底を中表に縫い合わせる

③ 入れ口をでき上がりに折る

h

ショートジャケット

page **18**

用意するもの
糸…ダルマ手編糸　プロヴァンスのメリノ　ダークブラウン(3)435 g＝11玉。
針…棒針11号。
その他…直径1.8cmのボタンを4個。
でき上がりサイズ…胸囲92.5cm、背肩幅35cm、丈46cm、袖丈46cm。
ゲージ…10cm平方で模様編みA・A'とも16.5目×21段、模様編みB 16目×22段。
編み方ポイント
身頃・袖…指でかける作り目で編みます。模様編みのA・A'はそれぞれ図を参照して分散減目をしながら編みます。前端は4目をガーター編みの前立てにし、右前立てにボタンホールを作ります。衿…肩を引き抜きはぎにして衿を編みます。衿は衿ぐりから拾い目して模様編みCで編みますが、前立てはそのまま続けます。最終段は1目ゴム編みに編み、1目ゴム編み止めにします。まとめ…脇、袖下はすくいとじ、袖は引き抜きとじでつけます。

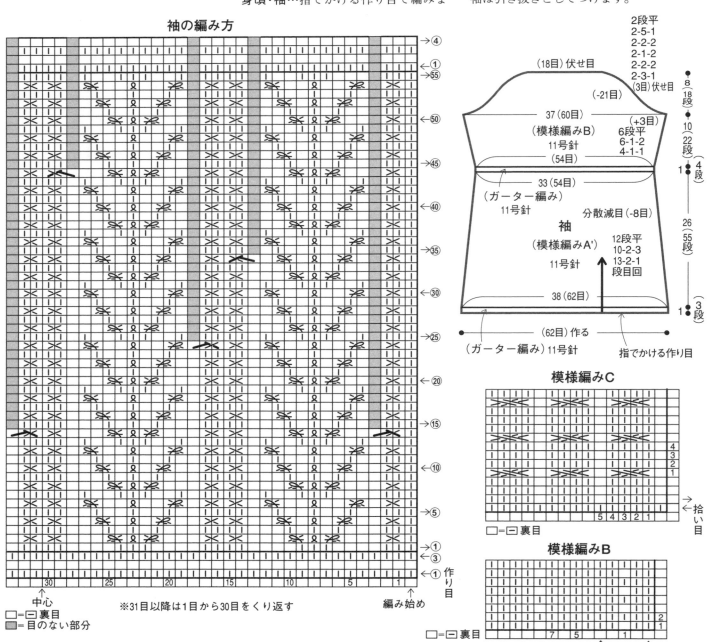

袖の編み方

中心
□=⊟ 裏目
■=目のない部分

※31目以降は1目から30目をくり返す

編み始め

作り目

模様編みC

□=⊟ 裏目
拾い目

模様編みB

□=⊟ 裏目

後身頃編み始め　左右前身頃・袖編み始め

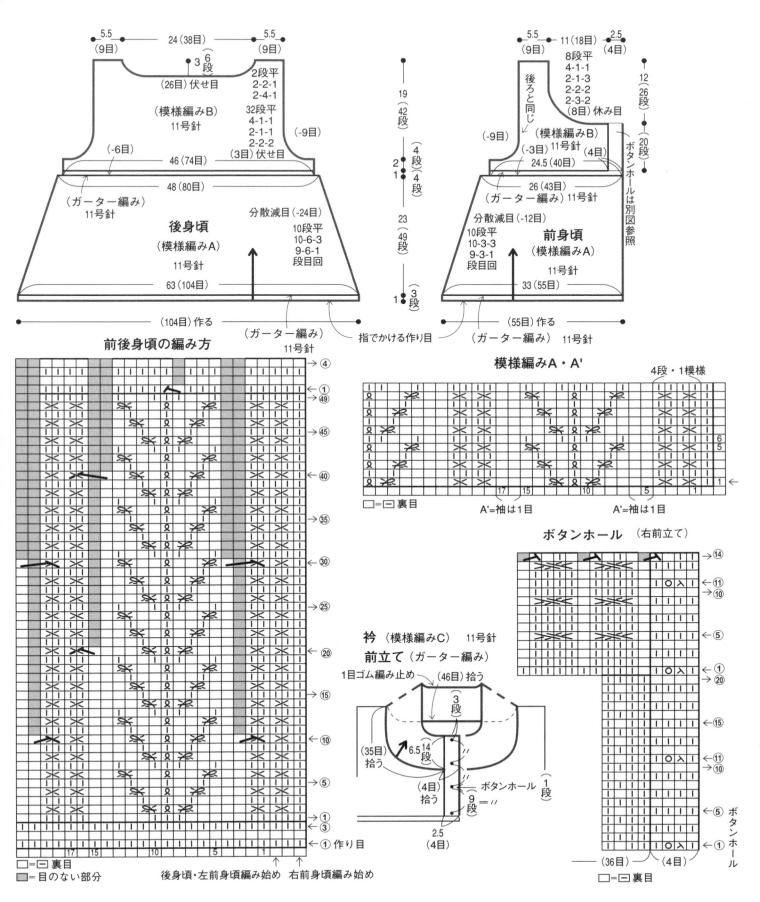

後身頃
（模様編みA）
11号針

前身頃
（模様編みA）
11号針

前後身頃の編み方

模様編みA・A'

ボタンホール　（右前立て）

衿　（模様編みC）　11号針
前立て　（ガーター編み）

□＝⊟　裏目
■＝目のない部分

後身頃・左前身頃編み始め　　右前身頃編み始め

A'＝袖は1目　　　　　　A'＝袖は1目

□＝⊟　裏目

キャスケット

page 20

用意するもの
糸…ダルマ手編糸　朝もやラ・セーヌ
ブラウン(4)60ｇ＝2玉。
針…棒針10号、かぎ針8/0号。
でき上がりサイズ…頭回り52cm、深
さ19.5cm。
ゲージ…10cm平方で模様編み14目×18
段。

編み方ポイント
ベルト…別鎖の裏山を拾う作り目で模
様編みAを103段編みます。別鎖をと
いて拾い目し、表側を突き合わせて編

み終わりとメリヤスはぎにして輪にし
ます。クラウン・トップ…輪にしたベ
ルトから拾い目をして模様編みBで輪
に編みます。トップは図を参照して減
目し、残った目は糸を2周通してしぼ
ります。ブリム…ベルトから拾い目を
して編みます。拾い目位置の図を参照
し、糸をつけて細編みを編みます。ま
とめ…クラウンとブリムの周囲に、バ
ック細編みと鎖1目の縁編みを編みま
す。ポンポン…直径3cmのポンポンを
作り、トップにしっかりとつけます。

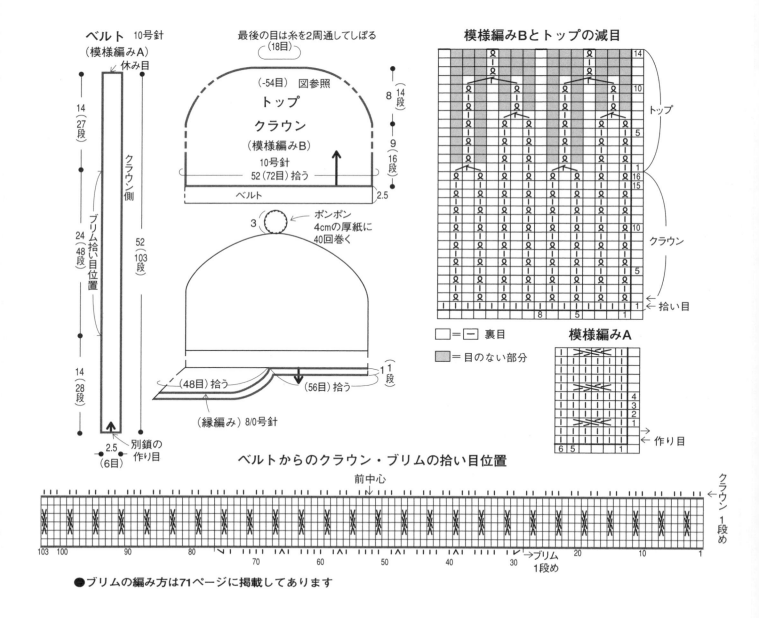

●ブリムの編み方は71ページに掲載してあります

よこ編みの帽子

page **31**

用意するもの

糸…ダルマ手編糸　カフェウールフェルトの糸、グレー(4)115 g ＝4玉。

針…棒針5、6号、かぎ針6/0号。

でき上がりサイズ…頭回り55cm、深さ10.5cm。

ゲージ…10cm平方でメリヤス編み18目×28段、模様編み25目×28段。

編み方ポイント

サイド…別鎖の裏山を拾う作り目をして模様編みで155段編みます。別鎖はほどいて拾い目し、中表に合わせて、編み終わり側と引き抜きはぎで輪にします。トップ…サイドの編み地から拾い目し、メリヤス編みを輪に編みます。トップの減目は1図を参照して減目し、残った14目に糸を通してしぼります。ブリム…サイドから拾い目し、メリヤス編みを輪に編みます。ブリムの増し目は2図を参照して、目と目の間の渡り糸をねじって編みます。最終段の目は引き抜き止めにします。ブリムは外側にくるりと丸まります。

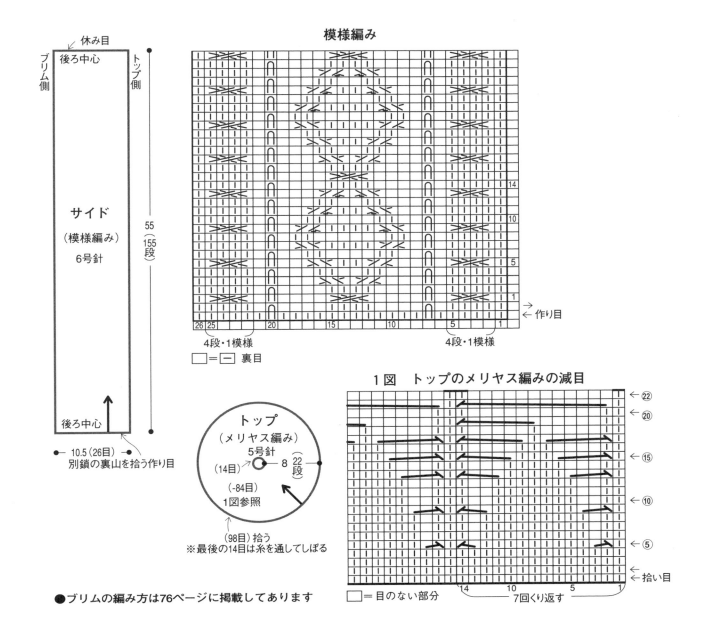

模様編み

14
10
5
1

→ 作り目

26 25　　　20　　　15　　　10　　　5　　　1

4段・1模様　　　　　　　　　　4段・1模様

□＝─　裏目

休み目

後ろ中心

ブリム側

トップ側

サイド
（模様編み）
6号針

55
（155段）

後ろ中心

←― 10.5（26目）―→
別鎖の裏山を拾う作り目

トップ
（メリヤス編み）
5号針

（14目）　　8　22段
（-84目）
1図参照

（98目）拾う
※最後の14目は糸を通してしぼる

●ブリムの編み方は76ページに掲載してあります

1図　トップのメリヤス編みの減目

← ㉒
← ⑳
← ⑮
← ⑩
← ⑤
← 拾い目

14　　10　　5　　1
7回くり返す

□＝目のない部分

よこ編みケーブルのセーター

page 24

用意するもの

糸…ダルマ手編糸　プライムメリノ並太　ブラウングレー(12)365ｇ＝10玉。

針…棒針6、8号。

でき上がりサイズ…胸囲86cm、丈51.5cm、ゆき丈42.5cm。

ゲージ…10cm平方でメリヤス編み21目×27.5段、模様編み27目×28段。

編み方ポイント

袖・ヨーク…右袖のゴム編み切り替え位置で別鎖の裏山を拾う作り目をして編みます。模様編みは中心から左右対称に配置し、交差の向きも左右対称にします。衿ぐりの56段は編み地を前後に分けて編みます。袖口は図を参照して減目し、2目ゴム編みを編んで伏せ止めます。別鎖はといて拾い目し、同様に2目ゴム編みを編みます。身頃…ヨークから拾い目して編みます。脇はすくいとじで合わせます。衿…衿ぐりから拾い目しますが、前と後ろの境目は間の渡り糸をすくってねじって編みます。衿は2目ゴム編みで輪に編み、伏せ止めをします。

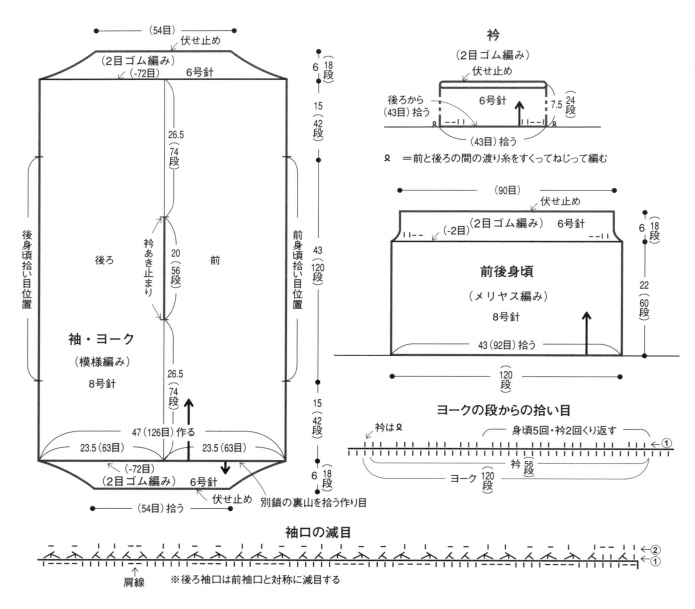

模様編み

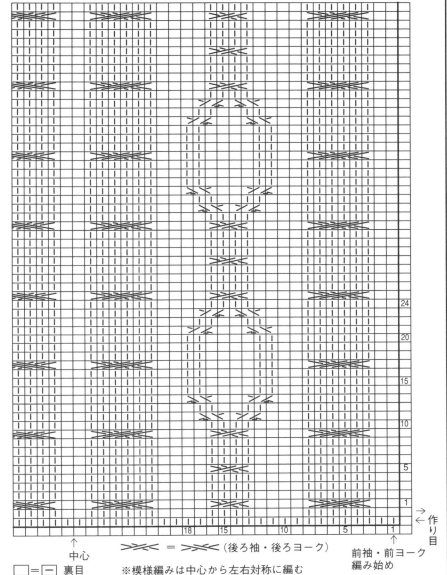

24
20
15
10
5
1

→ 作り目
←

18　15　10　5　1

↑
中心

>< >< = >< >< （後ろ袖・後ろヨーク）

↑
前袖・前ヨーク
編み始め

□ = ─ 裏目　　※模様編みは中心から左右対称に編む

●メリヤスはぎ

1　上に編み始め、下に編み終わりを持つ。

2　上の目に向こう側から針を入れて糸を引く。

3　下の目に向こう側から針を入れて糸を引く。

4　上の2目に手前、向こう側と針を入れて。

5　糸を引く。

6　下の目に手前、向こう側と針を入れ、

7　糸を引く。

8　4～7をくり返す。目がつながっていく。

ⅰ 68ページの続き

ブリム（細編み）8/0号針

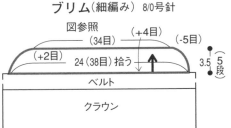

図参照
（+4目）　（-5目）
（34目）
（+2目）　24（38目）拾う
ベルト
クラウン
3.5　5段

糸を切る

ブリムの細編み

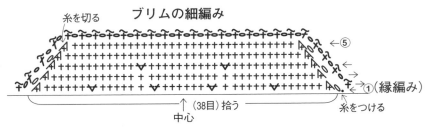

←⑤
←
↑（38目）拾う ←①（縁編み）
中心
糸をつける

前あきのベスト

page **21**

用意するもの
糸…ダルマ手編糸　朝もやラ・セーヌ
ダークグリーン(6)360ｇ＝9玉。
針…棒針10、12号。
その他…直径2cmのボタンを4個。
でき上がりサイズ…胸囲90cm、丈
53cm、ゆき丈27.5cm。
ゲージ…10cm平方で模様編みＡ・Ｃとも13目×20段、模様編みＢ21目×20段。
編み方ポイント
身頃…裾の切り替え位置で別鎖の裏山

を拾う作り目で編み始め、各模様編みを配置して編みます。袖つけ止まりに糸印をつけて肩先まで編みます。後ろに続けて、左右にとじ代を巻き増し目で加えて衿を編み、最終段を伏せ止めます。右前はボタンホールを編みます。別鎖はといて拾い目し、1目ゴム編みを編んでゴム編み止めにします。**袖口**…肩を引き抜きはぎにして袖口の1目ゴム編みを編みます。**まとめ**…後ろ衿は前の衿つけ位置と合わせて目と段のはぎ、脇、袖口はすくいとじです。

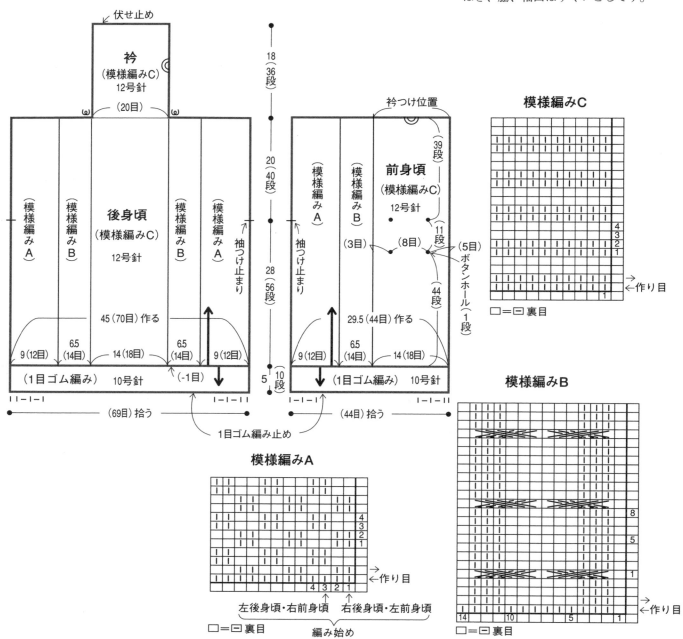

なわ編みのマフラー

page **32**

用意するもの

糸…ダルマ手編糸　プライムメリノ並太
赤(17)145 g ＝4玉。

針…棒針8号。

でき上がりサイズ…幅13cm、長さ182cm。

ゲージ…10cm平方で模様編み26目×28段。

編み方ポイント…指でかける作り目をし、
模様編みで増減なく編みます。最終段は
裏から伏せ止めにします。

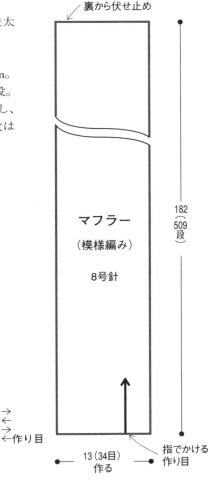

裏から伏せ止め

マフラー
（模様編み）

8号針

182
(509)
段

13（34目）
作る

指でかける
作り目

模様編み

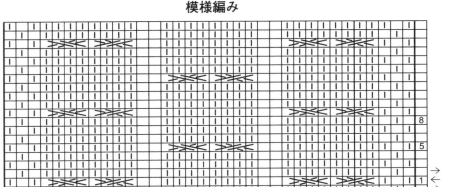

8
5
1
←作り目

34　30　25　20　15　10　5　1

□＝□ 裏目

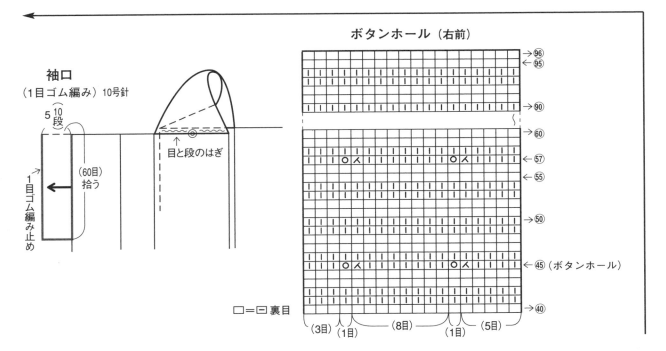

袖口

（1目ゴム編み）10号針

5 (10)
段

1目ゴム編み止め

（60目）
拾う

目と段のはぎ

ボタンホール（右前）

→96
←95

→90

→60

←57
←55

→50

←45（ボタンホール）

→40

（3目）　（1目）　（8目）　（1目）　（5目）

□＝□ 裏目

k

ストレートネックセーター

page 22

用意するもの

糸…ダルマ手編糸　プライムメリノ合太　うす茶(13)360ｇ＝12玉。

針…棒針4、5号。

でき上がりサイズ…胸囲88cm、丈54.5cm、ゆき丈70.5cm。

ゲージ…10cm平方で模様編みA36目×35.5段、模様編みB24目×35.5段、模様編みC30目×35.5段。

編み方ポイント

袖・ヨーク…別鎖の裏山を拾う作り目で編み始めます。袖下は端1目内側でねじり増し目で増しながら166段編みます。編み地の両端で1目ずつ巻き増し目(身頃の拾い代)をして46段編みます。衿ぐりは前後に分けます。後ろは55目編んだら巻き増し目(衿の拾い代)で1目増し、64段編んでいったん目を休めます。衿ぐりの8目は伏せ目にします。前は巻き増し目(衿の拾い代)の1目と残りの44目で64段編みます。前後の編み地を一緒にします。巻き増し目は2目一度に編んで減らし、8目は別鎖の作り目から拾い目して105目に戻します。46段編んだら編み地の両端で巻き増し目を2目一度に編んで103目にします。袖下は減目になるので端1目を立てる減目で編みます。続けてガーター編みを編んで伏せ止めます。別鎖はといて拾い目し、ガーター編みを編みます。**身頃**…ヨーク部分から平均に拾い目をして編みます。**衿**…脇、袖下をすくいとじにし、衿ぐりから拾い目をして輪に編み、伏せ止めにします。

衿（模様編みA）4号針

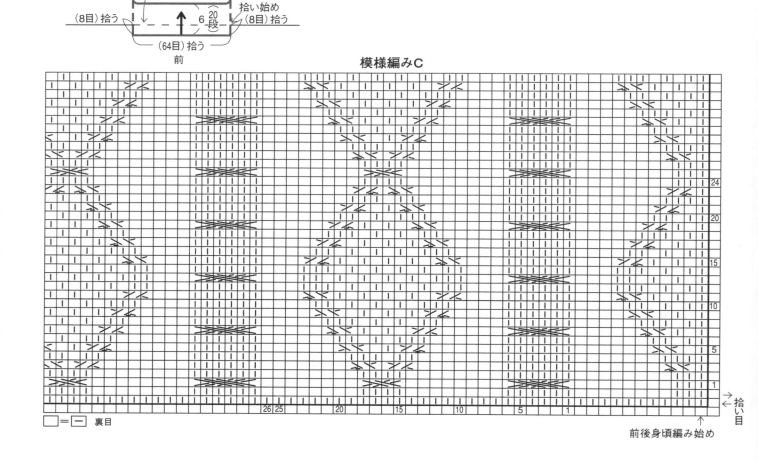

模様編みC

□＝□　裏目

前後身頃編み始め

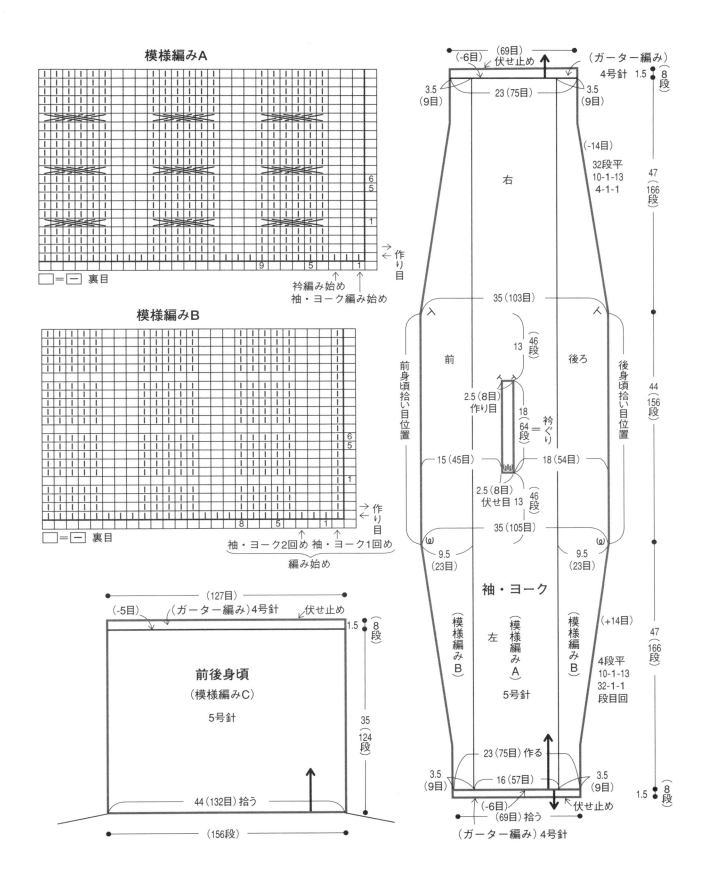

模様編みA

□=□ 裏目

6
5

1

9　　5　　1

→ 作り目

衿編み始め
袖・ヨーク編み始め

模様編みB

□=□ 裏目

6
5

1

8　　5　　1

→ 作り目

袖・ヨーク2回め　袖・ヨーク1回め
編み始め

袖・ヨーク

(-6目)　(69目)　伏せ止め　(ガーター編み)
4号針　1.5（8段）

3.5（9目）　23（75目）　3.5（9目）

右

(-14目)
32段平
10-1-13
4-1-1

47（166段）

35（103目）

前身頃拾い目位置

前　　13（46段）

2.5（8目）作り目

18（64段）＝衿ぐり

後ろ

後身頃拾い目位置

15（45目）　18（54目）

2.5（8目）伏せ目　13（46段）

35（105目）

9.5（23目）　9.5（23目）

44（156段）

左

（模様編みB）　（模様編みA）　（模様編みB）

5号針

(+14目)
4段平
10-1-13
32-1-1
段目回

47（166段）

23（75目）作る

3.5（9目）　16（57目）　3.5（9目）

(-6目)（69目）拾う　伏せ止め

（ガーター編み）4号針

1.5（8段）

前後身頃

(-5目)（127目）（ガーター編み）4号針　伏せ止め

1.5（8段）

前後身頃

（模様編みC）

5号針

35（124段）

44（132目）拾う

（156段）

よこ編みのバッグ
page 26

用意するもの
糸…ダルマ手編糸　カフェウールフェルトの糸　生成り(1)230ｇ＝8玉。
針…棒針8号、かぎ針7/0号。
その他…持ち手部分の長さ32cmのレザーの持ち手(赤)1組。
でき上がりサイズ…幅35cm、深さ28cm。
ゲージ…10cm平方で模様編み27目×23段。
編み方ポイント…本体は横編みにします。別鎖の裏山を拾う作り目をして、模様編みで同じものを2枚編みます。別鎖はといて針に目をとります。2枚の編み地を中表に合わせ、左右の両脇を引き抜きはぎで合わせ、底側に細編みを1段編みます。底は細編みで編みます。本体と底は外表に合わせて巻きかがります。細編みは頭の糸2本をすくいます。入れ口側に縁編みを編みます。縁編みの1段めは細編みで一周します。2段めは1目おきに1段めの細編みと同じ目にかぎ針を入れ、1段めの細編みを編みくるんで編みます。持ち手は縫い糸で指定の位置に返し縫いでしっかりとつけます。

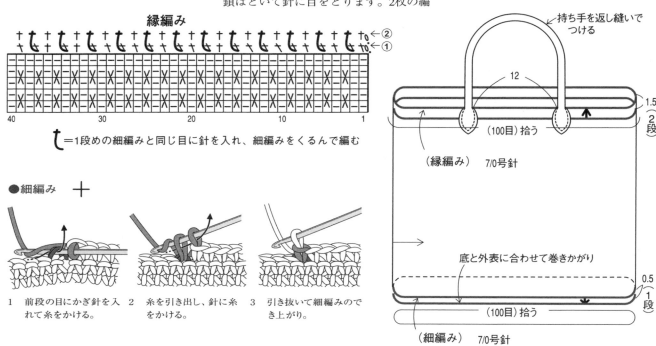

縁編み

40　30　20　10　1

↑＝1段めの細編みと同じ目に針を入れ、細編みをくるんで編む

●細編み　＋

1　前段の目にかぎ針を入れて糸をかける。
2　糸を引き出し、針に糸をかける。
3　引き抜いて細編みのでき上がり。

持ち手を返し縫いでつける
12
（100目）拾う
（縁編み）　7/0号針
1.5（2段）

底と外表に合わせて巻きかがり

0.5　1（1段）
（100目）拾う
（細編み）　7/0号針

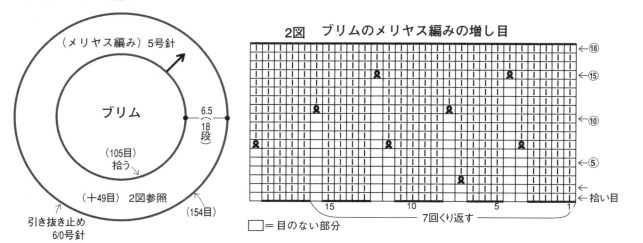

ｒ　69ページの続き

（メリヤス編み）5号針
ブリム
6.5（18段）
（105目）拾う
（＋49目）2図参照
（154目）
引き抜き止め
6/0号針

2図　ブリムのメリヤス編みの増し目

←⑱
←⑮
←⑩
←⑤
←拾い目

15　10　5　1
7回くり返す

□＝目のない部分

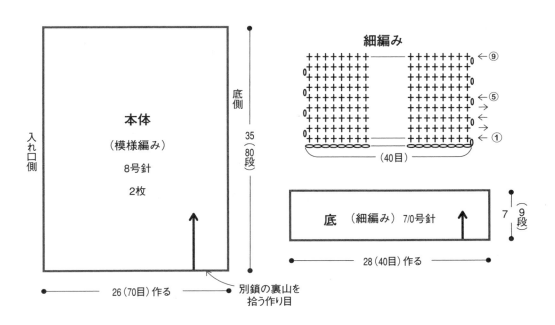

本体
（模様編み）
8号針
2枚

底側

35
（80段）

入れ口側

26（70目）作る

別鎖の裏山を
拾う作り目

細編み

←⑨
←⑤
→
→
←①

（40目）

底　（細編み）7/0号針

7
（9段）

28（40目）作る

模様編み

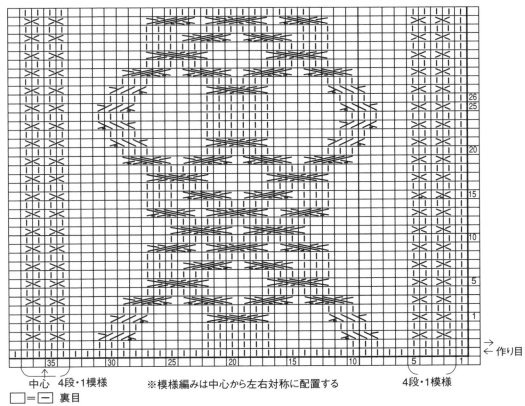

26
25

20

15

10

5

1

←作り目

35　中心　4段・1模様　　　30　　　25　　　20　　　15　　　10　　　5　　　1

※模様編みは中心から左右対称に配置する

4段・1模様

 ＝ 裏目

S

なわ編みのバッグ

page 31

●続きは65ページに掲載してあります

用意するもの
糸…ダルマ手編糸 ブランケット グレイッシュグリーン(10)145 g ＝4玉。
針…棒針13、15号。
その他…中袋用布を84×20cm。
でき上がりサイズ…幅32cm、深さ25cm。
ゲージ…10cm平方でメリヤス編み11目×15段、模様編み15目×16段。
編み方ポイント…本体は指でかける作り目をして、入れ口側から輪に編みます。底は図を参照して減目し、残った

目に糸を通してしぼります。入れ口は作り目から拾い目してメリヤス編みを輪に編みます。最終段の目を伏せ止めて内側に折り、作り目と伏せ止めの目を突き合せて巻きはぎます。持ち手も指でかける作り目をしてメリヤス編みで2枚編み、作り目と伏せ止めの目を突き合わせて巻きはぎます。本体の表にひびかないようにつけます。中袋を縫ったらバッグを裏返し、中袋をかぶせて入れ口にまつりつけます。

全目に糸を通してしぼる

（4目） （4目） （4目）

（-20目） （-20目）

図参照

本 体
（模様編み）
15号針

編み始め位置

編み始め位置

指でかける作り目

4（6段）

18（29段）

64（96目）作る

入れ口（メリヤス編みダブル）

伏せ止め

13号針

折り山

44（48目）拾う

6（9段）

持ち手（メリヤス編み）

伏せ止め

13号針 2枚

指でかける作り目

27（30目）作る

5.5（8段）

持ち手のまとめ方

作り目と伏せ止めの目を突き合わせて巻きはぎ

（表）

模様編みと本体底の減目

6
5

1
29

25

20

15

10

5

1 ←作り目

24 20 15 10 5 1 ↑編み始め

□＝─ 裏目　▨＝目のない部分

編み始め

衿
（かのこ編み）4号針

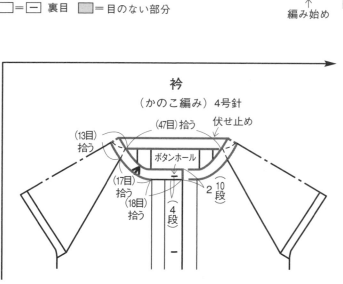

（47目）拾う　伏せ止め

（13目）拾う

ボタンホール

（17目）拾う

（18目）拾う

2　10段

4段

ラグラン半袖カーディガン

page 28

用意するもの

糸…ダルマ手編糸　プライムメリノ合太　生成り(1)180ｇ＝6玉。

針…棒針4、5号。

その他…直径1.5cmのボタンを6個。

でき上がりサイズ…胸囲88cm、丈47.5cm、ゆき丈30.5cm。

ゲージ…10cm平方でメリヤス編み24目×33段、なわ編み40目×33段。

編み方ポイント

身頃…指でかける作り目をして編み始めます。前は裾のかのこ編みに続けて前立てを一緒に編みます。ラグラン線は5目を伏せ目にしたら端2目の内側で減目します。前衿ぐりは伏せ目と端1目を立てる減目で編みます。袖…身頃と同じ要領で編みます。まとめ…ラグラン線は伏せ目の部分はメリヤスはぎ、段はすくいとじ、脇、袖下もすくいとじで合わせます。衿は身頃、袖から拾い目してかのこ編みで編み、最終段を伏せ止めます。

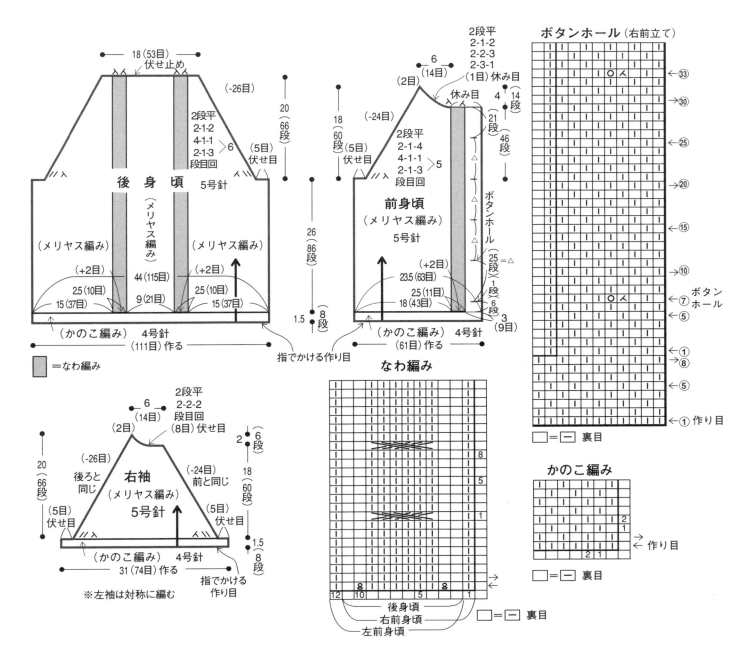

q

シンプルカーディガン

page **30**

用意するもの
糸…ダルマ手編糸 プライムメリノ並太 生成り(1) 455g = 12玉。
針…棒針7、8号。
その他…直径1.5cmのボタンを5個。
でき上がりサイズ…胸囲91cm、背肩幅35cm、丈46cm、袖丈55cm。
ゲージ…10cm平方で模様編み26目×30段。
編み方ポイント
身頃…指でかける作り目で1目ゴム編みから編みます。袖ぐり、衿ぐりの2目以上の減目は伏せ目、1目は端1目を立てる減目で編みます。**袖**…袖下は端1目内側でねじり増し目、袖山は伏せ目と端1目を立てる減目で編みます。**衿・前立て**…肩をかぶせはぎにします。衿は衿ぐりから拾い目して1目ゴム編みを編み、1目ゴム編み止めにします。前立ても前端、衿から拾い目し、右前立てにボタンホールを編みます。まとめ…脇、袖下はすくいとじ、袖は引き抜きとじで身頃につけます。

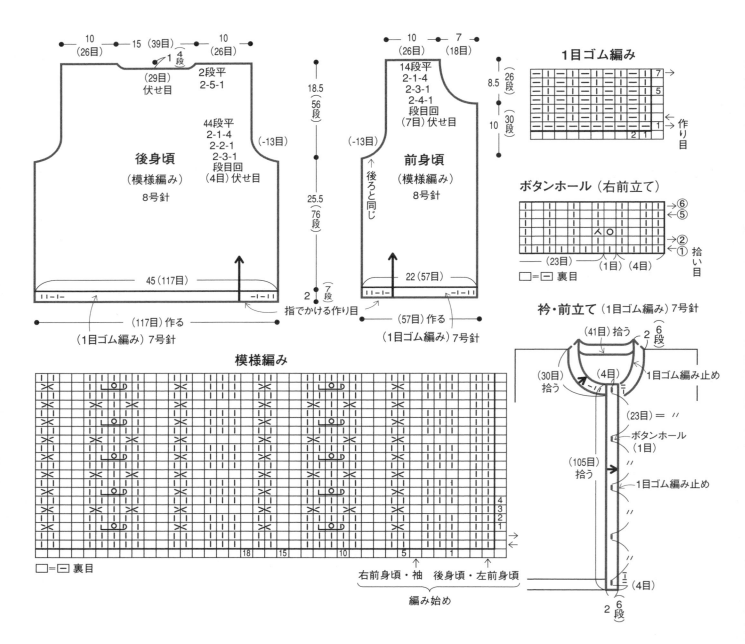

ポンポンつきの帽子

page 33

用意するもの

糸…ダルマ手編糸　シェットランド島の
羊　ベージュ(2)100ｇ＝3玉。

針…棒針12号。

でき上がりサイズ…頭回り48cm、深さ
21cm。

ゲージ…10cm平方で模様編み19目×23段。

編み方ポイント…指でかける作り目をし
て輪編みにします。トップの減目は図を
参照し、残った目に糸を通してしぼりま
す。ポンポンはトップにしっかりとつけ
ます。

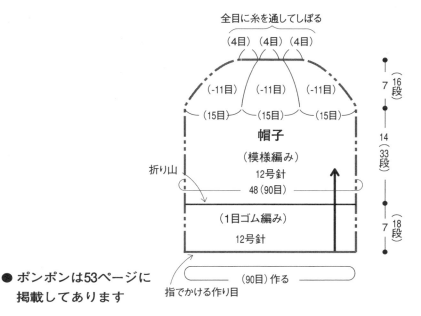

● ポンポンは53ページに
　掲載してあります

全目に糸を通してしぼる

（4目）（4目）（4目）

（-11目）（-11目）（-11目）

（15目）（15目）（15目）

帽子
（模様編み）
12号針
48（90目）

折り山

（1目ゴム編み）
12号針

（90目）作る

指でかける作り目

7 16（段）

14 33（段）

7 18（段）

模様編みとトップの減目

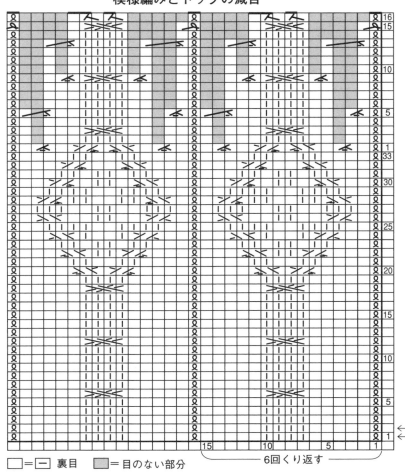

□＝│─│ 裏目　　■＝目のない部分

6回くり返す

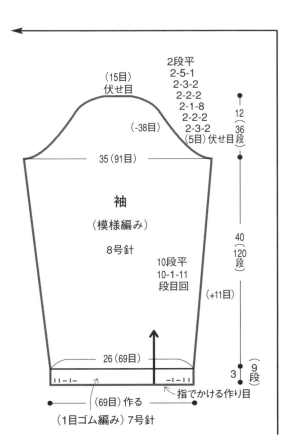

2段平
2-5-1
2-3-2
2-2-2
2-1-8
2-2-2
2-3-2
（5目）伏せ目

（15目）伏せ目

（-38目）

35（91目）

袖
（模様編み）
8号針

10段平
10-1-11
段目回

（+11目）

26（69目）

（69目）作る

（1目ゴム編み）7号針

指でかける作り目

12 36（段）

40 120（段）

3 9（段）

staff
撮影　奥川純一　鈴木信雄（プロセス）
ブックデザイン　築野和久
スタイリング　浦神ミユキ
ヘア・メイク　永井芳泉（Jessica）
モデル　宮本りえ
トレース　藤井千春
編集協力　フリッパーデザインオフィス
編集・進行　小林奈緒子
編集担当　石原賞子　太田麻衣子

撮影協力
Beuvron青山店
150-0001　東京都渋谷区神宮前5-39-2　tel. 03-6277-2030
RED CLOVER
153-0042　東京都目黒区青葉台3-21-8　tel. 03-3760-9311
SM2
166-0002　東京都杉並区高円寺北2-6-1高円寺千歳ビル4階　tel. 03-3223-1192
wafflish waffle
150-0001　東京都渋谷区神宮前5-16-15　tel. 03-3409-6070
ダイアナ銀座本店
104-0061　東京都中央区銀座6-9-6　tel.03-3573-4005
ロイス・クレヨン
158-0097　東京都世田谷区用賀2-32-2　tel. 03-3709-1811
（株）一珠
162-0846　東京都新宿区市谷左内町28-3　tel. 03-5261-7021
una-na（mimiwn）
http://www.una-na.com/

あなたに感謝しております　-We are grateful.-

手づくり大好きのあなたが、この本をお選びくださいましてありがとうございます。
内容はいかがでしたでしょうか？　本書が少しでもお役に立てば、こんなにうれしいことはありません。
日本ヴォーグ社では、手づくりを愛する方とのおつき合いを大切にし、
ご要望におこたえする商品、サービスの実現を常に目標としています。
小社及び出版物について、何かお気付きの点やご意見がございましたら、何なりとお申し出ください。
そういうあなたに私共は常に感謝しております。

株式会社日本ヴォーグ社社長　瀬戸信昭
FAX 03-3269-7874

Let's knit series

編んでみよう

アランもようのウエアと小もの

発行日：2008年9月27日
発行人：瀬戸信昭　編集人：小林和雄
発行所：株式会社 日本ヴォーグ社
〒162-8705　東京都新宿区市谷本村町3-23
TEL：販売03-5261-5081　編集03-5261-5084　振替：00170-4-9877
出版受注センター：TEL.048-480-3322　FAX.048-482-2929
印刷所：大日本印刷株式会社　Printed in Japan　Ⓒ N.Seto 2008
ISBN 978-4-529-04605-3 C9477

った時に頼れる本 棒針あみの基礎本

立ち読みもできるウェブサイト「日本ヴォーグ社の本」
http://book.nihonvogue.co.jp/

棒針あみの定番

棒針あみの基礎技法を一から丁寧に解説。大きな図解で針の動きを表示した初心者必携のやさしい技術書。

ヴォーグ基礎シリーズ
新 棒針あみ [改訂版]
よくわかるセーター作りの基礎
AB判／80頁　定価1,030円（本体981円）
NV5629　ISBN978-4-529-02927-8

Q&A形式なので疑問が探しやすい

セーター、カーディガンを編んでいて困りそうな点をわかりやすく解説した手引書。かんたんなサイズ調整方法やボタン、ファスナー、ポケットの付け方も。

こんなときあんなとき
棒針あみ なんでもQ&A
AB判／84頁　定価1,050円（本体1,000円）
NV6242　ISBN978-4-529-03865-2

記号の編み方がわからない時に

120点の記号の編み方を大きなイラストで見やすく解説。初めての記号も忘れてしまった記号もこの1冊で解決。

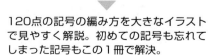

ヴォーグ基礎シリーズ
よくわかる編目記号ブック
棒針あみ120
AB判／76頁　定価907円（本体864円）
NV7021　ISBN978-4-529-02413-6

模様編みの
ヴォーグ基礎シリーズ

ヴォーグ基礎シリーズ
新 棒針の模様
全ての模様の編みかた付き
NV7003　AB判／68頁
定価907円（本体864円）
ISBN978-4-529-02294-1

ヴォーグ基礎シリーズ
新 模様の編み方 棒針あみ
記号の見方から応用パターンまで
NV7181　AB判／68頁
定価866円（本体825円）
ISBN978-4-529-02098-5

棒針あみ&かぎ針あみ、どちらもする人へ

ニット界の第一線で活躍する広瀬さんが編み物を教えていて気付いた、つまずくポイントを1冊にまとめて丁寧に解説。

広瀬光治のあみものの基礎
広瀬光治 著
AB判／68頁　定価1,030円（本体981円）
NV6077　ISBN978-4-529-03634-4

棒針あみとかぎ針あみの正しい基礎技法をイラストと写真でわかりやすく解説した技術書。

ヴォーグ基礎シリーズ
新 手あみ
棒針あみとかぎ針あみの基礎
AB判／68頁　定価866円（本体825円）
NV7180　ISBN978-4-529-02097-8

困った時に頼れる本 かぎ針あみの基礎本

いちおし

かぎ針あみに必要な技法はこれでオーケー！大きな図解とやさしい解説で初めての人にもわかりやすい技術書。左利き用の写真数点あり。

人気のモチーフ編みにはこちら！大きな図と細かい解説がわかりやすいので、モチーフ編み初心者にはぴったりの技術書。左利き用の写真数点あり。

 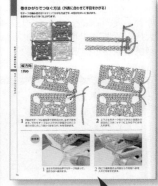

日本ヴォーグ社の基礎BOOK　ゴールデンシリーズ
かぎ針あみのモチーフ
監修／今泉史子　AB判／100頁
定価1,365円（本体1,300円）
NV6511　ISBN978-4-529-04525-4

細かいプロセスだから迷わない！

日本ヴォーグ社の基礎BOOK　ゴールデンシリーズ
かぎ針あみ
監修／今泉史子　AB判／100頁
定価1,365円（本体1,300円）
NV6488　ISBN978-4-529-04479-0

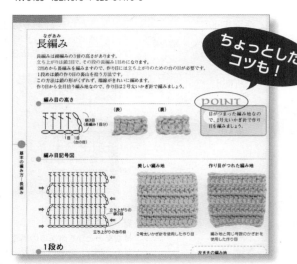

ちょっとしたコツも！

地模様、モチーフつなぎのウェアーを取り上げて、制作手順に沿って詳しく解説。作品づくりで疑問だったことや困ったことが解決する頼りになるお役立ち本。

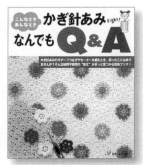

こんなときあんなとき
かぎ針あみなんでもQ&A
AB判／76頁　定価1,050円（本体1,000円）
NV6204　ISBN978-4-529-03792-1

 その他のヴォーグ基礎シリーズ

NVコード	タイトル	定価（本体）	ISBN	頁
7020	よくわかる 編目記号ブック かぎ針あみ107	907円（864円）	978-4-529-02412-9	68頁
7010	かぎ針の模様	907円（864円）	978-4-529-02345-0	68頁
7001	かぎ針モチーフ	907円（864円）	978-4-529-02292-7	68頁
5703	新 かぎ針あみ [改訂版]	1,030円（981円）	978-4-529-03047-2	76頁

新刊のお知らせ

立ち読みもできるウェブサイト「日本ヴォーグ社の本」
http://book.nihonvogue.co.jp/

着ごこちいいね
男のセーター日和

シンプルセーターをテーマに、ベストやプルオーバー、マフラー＆キャップに加え、パパとお揃いのキッズニット（110cmサイズ）が登場！ メンズウエアはすべてM・Lサイズで紹介。さらに、やさしいサイズ調整法を分かりやすく解説。

●AB判／84頁　定価1,100円（本体1,048円）
NV4373　ISBN978-4-529-04597-1
雑誌コード63624-30

★8月28日発売

編んでみよう
アランもようのウエアと小もの

編み物を始めたら、必ず編みたくなるのがアラン模様。はじめはシンプルななわ編みやダイヤ模様から…。ウエアと小ものが約半分ずつですので、小ものからチャレンジするのもいいですね。着やすいベストで詳しくプロセス解説。

●AB判／84頁　定価1,029円（本体980円）
NV4381　ISBN978-4-529-04605-3
雑誌コード63624-33

★8月28日発売

編んでみよう
手あみのポンチョとケープ

さっと気軽に羽織れるかぎ針と棒針のポンチョやケープが大人気。ポンチョは袖つけやとじはぎがほとんどないので、初心者さんでも大丈夫。シンプルな棒針編みの基本的なポンチョをプロセスで詳しく説明。

●AB判／84頁　定価1,029円（本体980円）
NV4382　ISBN978-4-529-04606-0
雑誌コード63624-32

★8月28日発売

NOW PRINTING

編んでみよう
手あみの帽子とマフラー

今流行の帽子とマフラーをきっちりと編めるようにプロセス写真で詳しく説明。帽子やマフラーはいくつあっても楽しいもの。今年は今年らしい帽子で冬を迎えましょう。かぎ針編み・棒針編み両方の帽子とマフラーがいっぱい。

●AB判／84頁　定価1,029円（本体980円）
NV4402　ISBN978-4-529-04626-8
雑誌コード63624-40

★8月28日発売

こどものニットワードローブ

ウエアは120・130・140cmの3サイズ表記

7歳から9歳（小学校低学年生）くらいの子どもを対象にしたニットウエアと小物の作品集。男女兼用のベストやプルオーバーを中心に、可愛いわが子に着せたいニットばかり。ウエアはすべて3サイズ表記。基本の編み方・テクニックガイド付き。

●230×210mm／90頁
定価1,100円（本体1,048円）
NV4383　ISBN978-4-529-04607-0
雑誌コード63624-31

★9月17日発売

ぽかぽかニットこもの vol.5
てぶくろ＆ハンドウォーマーBOOK

秋冬にかかせないてぶくろとハンドウォーマーの作品集。てぶくろは小さいながら、多くの技法を使っています。一度は編んでみたい5本指てぶくろを写真プロセスで右手だけでなく、左手も詳しく解説。

●200×200mm／64頁
定価924円（本体880円）
NV4384　ISBN978-4-529-04608-4
雑誌コード63624-35

★9月4日発売

かんたんニットワードローブ
あき・ふゆ vol.2

*こもののの次に編みたい。をコンセプトに、初・中級者から楽しめるかぎ針編みと棒針編みのウエア＆こもの約30点を掲載。肌に優しい染料で色付けされたオーガニックウール「ハマナカ フィールド」を使用。

●230×210mm／84頁
定価1,100円（本体1,048円）
NV4396　ISBN978-4-529-04612-1
雑誌コード63624-38

★9月8日発売

棒針あみ、かぎ針あみ
赤ちゃんのニット　0〜24ヵ月

ベビードレス、おくるみ、胴着から、ジャンパースカート、ベスト、カーディガン、ジャケット、帽子、マフラーまで、生まれてすぐに必要なものから、2歳ぐらいまでの作品を掲載。あみものが初めてのママにも安心な、編み図を詳しく解説。

●AB判／84頁　定価1,100円（本体1,048円）
NV4377　ISBN978-4-529-04601-5
雑誌コード63624-34

★9月12日発売

NOW PRINTING

はじめて編む
モチーフつなぎの本（仮）

モチーフの編み方とつなぎ方をマスターし、作品が作れるようになる本。初心者の方は、モチーフ1枚を編むことが大変。ここでは、四角、丸、立体モチーフの編み方を、写真とイラストで、詳しく解説。各モチーフで、おしゃれで、かわいい作品を掲載。

●AB判／68頁　定価1,029円（本体980円）
NV4390　ISBN978-4-529-04610-7
雑誌コード63624-37

★10月上旬発売

NOW PRINTING

ニットフレンド
ウィスター毛糸で創る作品集

一般の方から応募された、オリジナル作品を掲載した小物の作品集。マフラー＆帽子から、アクセサリーやバッグ、あみぐるみまでバラエティ豊かに掲載。

●AB判／92頁　定価1,029円（本体980円）
NV4407　ISBN978-4-529-04633-6
雑誌コード63624-43

★10月中旬発売

※印この写真はイメージです。

大人ナチュラルな手編み（仮）

人気の萩原直美さんをはじめとするグループ「ニットファクトリー」の作品集の第2弾。「身につける 持ち歩く」をテーマに、マフラーや帽子、バッグを中心に紹介。ボレロやキャミソールを加えたナチュラルテイストの作品を編み方付きで掲載。分かりやすい編み図と編み物の基礎も充実。

●AB判／80頁　定価1,050円（本体1,000円）
NV4401　ISBN978-4-529-04625-1
雑誌コード67531-11

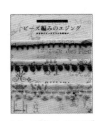

ビーズ編みのエジング

繊細なビーズを編み込んだ「ビーズ編み」。そのビーズ編みのエジング（縁編み）パターン＆作品集。ショール、ブラウスなどの縁飾り、アクセサリー、インテリアに応用できるアイデアを満載。ビーズの通し方から、ビーズの編み込み方まで詳しいプロセス付きで紹介。

●AB判／88頁　定価1,470円（本体1,400円）
NV6542　ISBN978-4-529-04587-2

編み物がもっと楽しくなる おすすめの本

Start Series
はじめての手あみ
マフラーと帽子

人気のマフラーと帽子を、棒針編みのベーシックなものから、かぎ針編みのオシャレなものまで、バリエーション豊かに展開。

●AB判／52頁　定価725円（本体690円）
NV4018　ISBN978-4-529-03877-5
雑誌コード63626-79

Start Series
はじめての手あみ
手袋とくつ下

ちょっと難しそう…と敬遠されがちな手袋とくつ下。スタイルブックではなかなか紹介できないそれぞれの編み方をプロセスを追って詳しく解説。

●AB判／52頁　定価725円（本体690円）
NV3995　ISBN978-4-529-03844-7
雑誌コード63626-76

お気に入りのアランニット

初級から始めるアラン模様のセーターやベスト、こものなど作品集。超定番アラン模様から上級模様まで掲載。メンズサイズのプレゼントニットも要チェックです。交差模様の記号はやさしいイラストカットで紹介。

●240×210mm／84頁
定価1,050円（本体1,000円）
NV6483　ISBN978-4-529-04458-5

ぽかぽかニットこもの vol.1
ぼうしBOOK

装いのポイントづくりに欠かせない帽子小物。暑くても寒くても一年中大人気の帽子は、かぎ針が中心で、ベーシックな糸やデザインをメインに長く愛用できる作品を掲載。プロセス付き。

●200×200mm／64頁
定価840円（本体800円）
NV6425　ISBN978-4-529-04296-3

ぽかぽかニットこもの vol.2
マフラーBOOK

大人気のマフラーやミニショール、ケープなどの衿、肩周りの作品を特集。マフラーは初めてさんにぴったり。棒針の一番簡単なガーターから、かぎ針のモチーフつなぎまで、楽しみはいろいろ。

●200×200mm／64頁
定価840円（本体800円）　NV6426
ISBN978-4-529-04297-0

ぽかぽかニットこもの vol.3
ルームシューズBOOK

かぎ針編みがメインの暖かくて愛らしいつま先周りの小物を紹介。ルームシューズ、マットやブランケットなど。ストラップ付きのかわいい細編みルームシューズはプロセス解説付き。

●200×200mm／64頁
定価840円（本体800円）
NV6424　ISBN978-4-529-04295-6

ぽかぽかニットこもの vol.4
モチーフBOOK

みんな大好き、モチーフつなぎの特集です。バッグ、帽子、マフラーなど、カラフルな多色使いのモチーフが人気。糸の始末がちょっと大変だけど、編み上げた気分は格別です。

●200×200mm／64頁
定価840円（本体800円）
NV6472　ISBN978-4-529-04442-4

ニットパーティ vol.3
かぎ針編み大好き
ちいさな手あみ かわいいニット

春夏の糸を使用したかぎ針編みのバッグや帽子、小物などバラエティーに富んだアイテム60点を編み方付きで紹介。プロセス写真で丁寧に解説され、初心者から中級の方まで楽しめる人気シリーズの第3弾。

●AB判／88頁　定価1,050円（本体1,000円）
NV4345　ISBN978-4-529-04532-2
雑誌コード67530-74

ちいさなニットギャラリー
コサージュ ブローチ ブレスレット

手のひらにのるほどの、ちいさな手編みのアクセサリーを集めた美術館へようこそ。好評の「ニットmarchéギャラリー」コーナーが1冊の本になりました。コサージュ、ブローチ、ブレスレットなど、人気のアイテムを再構成し、編み図＆編み方付きで掲載しています。

●182×182mm／80頁
定価1,050円（本体1,000円）
NV6519　ISBN978-4-529-04549-0

銀イオン配合の糸で編む
エコでかわいいたわし105

アクリル毛糸「カフェキッチン」を使った作品集。あみぐるみ風のカワイイもの、実用的なものなど、105点を紹介。キッチンで、リビングで、おそうじに、生活の様々なシーンを想定して提案。

●AB判／68頁　定価882円（本体840円）
NV4347　ISBN978-4-529-04538-4
雑誌コード63624-13

抱きしめたい！
小さな小さなあみぐるみ

古賀陽子 著

身長10cm前後の編みぐるみでミニミニワールドを展開。とても小さいので使用する糸や、編む分量も詰め物も少なくてすむのが大きな魅力。プロセス解説を掲載。

●200×200mm／76頁
定価924円（本体880円）
NV6427　ISBN978-4-529-04305-2

★9月12日発売

※この写真はイメージです。

ニットmarché vol.6

モチーフ編みで作る、ゆびわやブレスレットなどのアクセサリーからケープやマフラーなどのおしゃれウエアを特集。ナチュラルな重ね着スタイルに似合うニットや、細編みバッグなどを編み方付きで紹介。

●A4変形判／104頁　定価980円（本体933円）
NV4399　ISBN978-4-529-04620-6
雑誌コード67531-04

日本ヴォーグ社　〒162-8705　東京都新宿区市谷本村町3-23

日本ヴォーグ社の出版物は、全国の書店・手芸店にて販売しております。もしお店にない場合でも、お取り寄せが可能です。お店の方にご注文ください。また、手づくりタウンカンパニーの通信販売でもお求めになれます。

本のご購入
お申し込み先

手づくりタウン
カンパニー

TEL 0120-923-258
（受付時間9:00〜17:00、日・祝休）
FAX 0120-923-147
（24時間受付）

●お電話でご注文の際、商品コード（NV○○○○）をお申し付けください。
●1回のご注文につき配送料の一部として315円（税込）のご負担をお願い上げます。
●商品代金（税抜価格）が10,000円以上の場合、配送料は無料です。
●★のものは発売日以降にお申し込みください。

ホームページ http://www.tezukuritown.com

KN-2008-AW-D

日本ヴォーグ社おすすめの
6つのクラフト

お問合せください。全国のお教室をご紹介します。

フリーダイヤル **0120-247-879**

（受付時間10:00〜17:00　土日祝は休業）

白磁ペイント ペイントの新分野

http://hakuji.nihonvogue.co.jp/

食器にもペイント してみませんか

白磁ペイントは、トールペイントのテクニックで磁器上絵付けを楽しむクラフト。専用下地剤とペースト状の絵の具を使って、気軽にペイントできます。焼成後は、食器として、インテリアとして、プレゼントにも最適です！

L'écrin Flower レカンフラワー協会

http://lecrin.nihonvogue.co.jp/

貴方も作ってみませんか 世界に1つだけの宝石箱

レカンとは、フランス語で「宝石箱」の意味です。自然の花や葉を立体状態で乾燥させています。
多様なアレンジが可能で、額装内での特殊技術により、退色を食い止め長く楽しむことができ、花の宝石箱のようにお楽しみいただけます。

カリグラフィー 日本フレンズ・オブ・カリグラフィー協会

http://calligraphy.nihonvogue.co.jp/

書き手の温もりが伝わる カリグラフィーで生活を 彩る暮らし。

ギリシャ語で"美しい書きもの"という意味をもつカリグラフィー。日本のカリグラファー第一人者小田原真喜子先生によるオリジナルカリキュラムで、イタリック体・ゴシック体・カッパープレート体の3書体をわかりやすく、楽しく学んでいただけます。全国のお教室をご紹介いたします。

ポーセラーツ 食器への上絵付け

http://porcelarts.nihonvogue.co.jp/

世界にひとつの ティーセット …あなたにも作れます！

ポーセラーツはシール感覚で使える転写紙などを使い、自由に上絵付けを楽しめるホビーです。絵心のない方でも本格的な作品を仕上げることができる実用的な生活アートです。

押し花 ふしぎな花倶楽部

http://www.oshibana.com/hanakurabu/

花のパワーで元気になり 美しくなる！

人と自然の輪を作るふしぎな花倶楽部のインストラクターが全国各地で押し花教室・展覧会を開催しております。
お気軽にお問い合せ下さい。

グラスアート 生活色彩クラフト

http://glassart.nihonvogue.co.jp/

ステンドグラス風の作品を お手軽に！

いろいろな生活シーンに彩りを添える「グラスアート」。主な材料は接着テープ状に加工されたリード（鉛）線と、日焼けしにくいカラーフィルムです。ガラスを切ることがないので安全で簡単、それなのに仕上がりはステンドグラスさながら。日本グラスアート協会のカリキュラムで、この新しいクラフトをご一緒に楽しんでみませんか？

KN-2008-AW-G

KN-2008-AW-H　「革のデザイン」クラフト学園研究室著　日本ヴォーグ社刊　撮影/高橋仁己